S0-AFQ-451

EL HOMBRE Y LAS METAFORAS DE DIOS EN LA LITERATURA HISPANOAMERICANA

COLECCION POLYMITA

EDICIONES UNIVERSAL, Miami, Florida, 1991

ISRAEL RODRIGUEZ

EL HOMBRE Y LAS METAFORAS DE DIOS EN LA LITERATURA HISPANOAMERICANA

P. O. BOX 450353 (Shenandoah station)
Miami, Fl. 33245-0353. USA

Library of Congress Catalog Card No. 90-8496
I.S.B.N.: 0-89729-585-4

INDICE

EL PROBLEMA DEL HOMBRE Y DIOS EN DOS NOVELAS DE VICENTE LEÑERO: REDIL DE OVEJAS Y EL EVANGELIO DE LUCAS GAVILAN

Hemos seleccionado estas dos novelas en la obra del autor porque ambas plantean la estructura existencial de la narración escriturística. Ambas anuncian el problema de Dios en el hombre actual y el problema del hombre moderno ante Dios y su compromiso.

Toda narración es novela. El estudio de sus símbolos íntimos y sus estructuras nos hace entender mejor la sustancia de que está hecha la realidad, la verdad es otra cosa, es como su realidad nos comprende y hasta nos define, que no se escape de este juicio, ni el crítico impertinente ni el narrador en su pertinaz fluidez vital.

ESTUDIO ESTRUCTURAL DE REDIL DE OVEJAS

Vicente Leñero es la promesa mas lograda del teatro mexicano. Sus obras plantean las ecuaciones más íntimas del hombre actual en relación con su comunidad: *Pueblo* rechazado 1969, *Los Albañiles* 1970, *El juicio* 1972. La novelística de Vicente Leñero también ha seguido una serie de éxitos paralelos: *La Voz adolorida* 1951, *Los Albañiles* (Premio Biblioteca breve 1963; Seix Barral, 1964), *Redil de ovejas* 1973, *A Fuerza de palabras* 1977, *Los periodistas* 1978 y *El Evangelio de Lucas Gavilán* 1979; recientemente Leñero ha publicado: *La gota de agua* 1983, *El asesinato* 1984 y *Hasta el último round* 1985, que es una pieza teatral sobre el boxeo. Hemos escogido para este estudio estructural la obra *Redil de ovejas* porque es la obra más significativa de Leñero en relación con la novela americana y, porque estéticamente rompe con todos los paradigmas novelísticos con el fin de darle un nuevo sentido al arte de narrar y a la vida.

Lo primero que he sentido al analizar la obra *Redil de ovejas* es verguenza, porque todo análisis implica un distanciamiento y esta obra está tan cerca de la realidad que más que una realidad que entendemos es una verdad que nos comprende.

La obra de arte se escribe con intuiciones vitales por eso, cada novela crea su propia teoría. El éxito de esta novela no está en los diálogos sin continuidad, ni en el argumento disperso, ni en el personaje colectivo, ni en el tiempo ambiguo; sino en que inventa su propia sensibilidad creativa. Aquí es donde se redime el lector y el crítico, porque no solo forma parte sino que toma parte en la novela como agonista y "protocreador"

El título *Redil de ovejas* es un lugar donde se reune el rebaño. Esta metáfora arcaica se ha usado para definir la iglesia y la parroquia, de este significado proviene el título. Todos los personajes que intervienen es esta obra se parecen unos a otros como las ovejas de un redil y hasta se confunden. Mucho se ha escrito sobre el hormiguero humano del siglo XX, que muy bien ha captado la novelística de habla hispana. Camilo José Cela crea en *La Colmena* un enjambre de individuos que se relacionan unos con otros en la múltiple perspectiva de un instante, como si fueran vistos por el ojo polifacético de una abeja. En esta múltiple perspectiva está el argumento. El argumento está en las iluminaciones que tiene el lector al poder identificar y relacionar esta multitud de personajes. Cela[2] tiene éxito en esta novela porque tiene la habilidad de crear personajes convincentes con una serie mínima de rasgos. En *Redil de ovejas* la estructura argumental de los personajes está en la múltiple perspectiva, en las iluminaciones que tiene el lector al relacionar los diferentes elementos de la obra para encontrarle significado novelístico, pero en *Redil de ovejas* no encontramos los rasgos fuertes que crean los personajes. En *La Colmena* los personajes son fácilmente identificables, no así en *Redil de ovejas* donde los personajes se parecen tanto unos a otros que desaparece el fulanismo de los nombres y el maniqueísmo del bien y del mal.

La Colmena es un enjambre de tipos. Redil de ovejas es un rebaño de personas que se parecen tanto unos a otros, que las ovejas blancas se convierten en un rebaño gris, porque tampoco existen las ovejas negras.

La perspectiva.[3] ¿Quién es el narrador de esta obra?- Es la persona que habla, porque la tercera persona del narrador apenas aparece en la novela. La única manera de descubrir la persona que habla, es por la enunciación más que por el enunciado.- El enunciado es puramente verbal mientras que la enunciación se refiere al contenido, a la situación, al lugar, al énfasis y a la escala de valores de la persona que habla.- El arte de este tipo de novela está en el shifter[4], que las traducciones estructuralistas la llaman embrague, nosotros preferimos llamarla transiciones. Veamos las múltiples perspectivas en los primeros capítulos para establecer su condición dinámica.

La novela comienza con una anfibología de perspectiva. El que habla puede ser la tercera persona del narrador, o el monólogo interior del personaje. Esto es un acierto, porque el verbo sin pronombre puede estar en la primera o en la tercera persona del diálogo. Después el monólogo interior indirecto se resuelve en diálogo con una viejita que se confiesa. En este diálogo el sacerdote se aburre y se fuga en una verdadera corriente de la conciencia, porque el personaje no tiene control intelectual sobre este dimanar inconciente.

En esta ambigüedad de perspectiva apenas se puede averiguar quién es la persona que habla, pero esta misma ambigüedad la tenemos en los otros elementos de la estructura novelística: tiempo, trama, argumento y personaje. El capítulo del meeting es ideal para este tipo de transición donde intervienen todos los registros del habla. El meeting es un monstruo de 50,000 cabezas y 50,000 perspectivas. El meeting comienza con una descripción, aparece el padre Bernardo repitiendo una consigna, también Rosa María repite la consigna. Alguién en primera persona dice: "Debo escribir". Aparece en la noticia de un periódico de mañana anunciando el meeting de hoy: después aparece la meditación de un periodista que describe el acto. En el meeting están relacionando las perspectivas y el tiempo. El novelista está usando la técnica de describir los múltiples puntos de vista de un instante; pero también está usando intuiciones emocionales que superponen tiempo pasado, tiempo presente y tiempo futuro. Otras veces los asistentes al acto se fugan en un monólogo interior en que predominan las corrientes inconsciente de la conciencia. La técnica de esta novela aspira a eliminar la tercera persona del narrador. Las perspectivas están dadas desde adentro y desde la ecuación del sufrimiento y la pobreza y no desde afuera. No, esta obra no es una *Divina comedia* en que Dante se pasea por el infierno y el cielo sin comprometerse. La perspectiva de esta obra está dada por las mismas personas que agonizan en su comedia humana, sin esperar que una pupila humana y omnipresente narre sus sufrimientos omnipotentemente. La omnipresencia y la omnipotencia están en la obra, pero no en la perspectiva del autor sino en la encarnación de la palabra en el tiempo.

El tiempo. El tiempo es el material con que se fabrica una novela. Muchos autores escriben sus novelas tratando de rescatar el pasado con el recuerdo. Otros escritores han creído que una novela es un arte de contener el tiempo. Muchos novelistas han creido en el tiempo circular- "la historia se repite".- Muchos autores han querido independizarse del tiempo a través de la corriente de la conciencia. La novela moderna se ha caracterizado por el quebrantamiento del tiempo convencional. Marcel Proust[5] es uno de los más ingeniosos, él puede detener las manecillas del reloj, pues el héroe al mismo tiempo puede entretener a su amante y jugar con la enfermera en el parque. Leñero va más lejos, ha destrozado el tiempo de su novela y ha esparcido sus pedazos, pero no lo ha hecho por caprichos novelísticos, ni por experimentación literaria sino para concentrarse en la visión colectiva del tiempo sobrenatural encarnado en la comunidad. El autor no ha presindido del tiempo. Esto hubiera sido un error y el experimento hubiera fallado, porque toda novela es un arte de tiempo y para que tenga sentido tiene que suceder en el tiempo. El autor ha presindido del tiempo novelístico que es un concepto bastante estratificado, para concentrarse en el valor temático del tiempo sobrenatural injertado en el tiempo humano, y así, transformar la naturaleza individual del hombre.

La novela no redefine el concepto del tiempo. El tiempo sucede. El tiempo sobrenatural se injerta en el tiempo humano y desaparece el individualisno, el egoísmo, el maniqueísmo y el fulanismo de los nombres; y la comunidad se convierte en un Cuerpo Místico. Esto es la verdad implícita de la novela, lo que está explícito es el tiempo fantástico y profético. Lo fantástico pertenece a la ficción pero lo profético pertenece a la realidad. Lo profético, decía León Bloy, no sólo es predecir el futuro sino hacer bajar la justicia a la tierra. La realidad y la verdad profética están artisticamente entrelazadas en esta novela.

Vicente Leñero es uno de los pocos autores mexicanos que se enfrenta linealmente al tiempo. Octavio Paz que es un escritor de gran honestidad política se enfrenta al tiempo con el mito circular del eterno retorno. Este enfrentamiento tiene su origen en los indios mexicanos: "Piedra del Sol". Ultimamente Octavio Paz ha reforzado este punto de vista con los mitos indúes. Es difícil enfrentarse al tiempo lineal desde el nihilismo de la literatura contemporánea. El pasado no vuelve y no volverá jamás; por eso, tienen que ampararse en los mitos panteístas del eterno retorno. Tampoco es fácil enfrentarse con los fantasmas electrónicos del futuro. ¿Quién controlará la inconciencia de la ciencia? Con sus bellos demonios genéticos y sus ángeles "lazer" caídos en el ensayo de los tubos. Leñero y sus personajes se enfrentan al tiempo lineal valientemente, de la única manera que se le puede enfrentar un cristiano, creándolo en cooperación con Dios.

Merton dijo "Que Dios me libre de ser un personaje de Grahan Green". Posiblemente porque estos personajes, a pesar de su cristianismo, están llenos de angustia contemporánea ante una época desesperante; pero los personajes de *Redil de de ovejas* no tienen este problema temporal. Los personajes de Leñero son cristianos por naturaleza: Por instinto y por intuición, no han pasado por el diletantismo racionalista y positivista. No, estos personajes no están angustiados, la única angustia que tienen es su angustia de cruz y la cruz implica esperanza y resurrección.

El revés de la trama y el argumento[7]. La historia principal es la del niño Bernardo y Doña Rosita.- Reconozco que otro lector pudiera atar los cabos de la novela de diferente manera. La novela ofrece ese ámbito creativo a cada lector.- El niño Bernardo vive con sus medios hermanos Rubén y la Güera. Rubén es un boxeador y la Güera casi una prostituta. Rubén y la Güera sienten mutuamente un amor incestuoso, aunque no realizado. La Güera se complace en atormentar a Rubén con celos. Rubén maltrata cada vez que puede al niño Bernardo. El niño Bernardo jugando a la pelota con otros amigos le rompe una ventana a la vieja Rosita. El niño se asusta porque Rosita tiene fama de bruja. Cuando Rubén va a pagarle la ventana a Doña Rosita lleva consigo al niño Bernardo y le obliga que le sirva de ayudante a la anciana, Doña Rosita que en realidad era una santa ejerce una gran influencia espiritual sobre el niño, y éste más tarde decide hacerse sacerdote para servirle a Dios y salvar a sus hermanos. En los últimos capítulos vemos al niño convertido en sacerdote. La Güera que había llevado una vida licenciosa: se había casado con un borracho del que se separó despúés, más tarde se casó con un hombre que la hacía felíz, esta unión no estaba legalizada por la iglesia. El padre Bernardo tiene una serie de diálogos con su hermana la

Güera. Este conflicto tiene una feliz solución, pero de pronto e inadvertidamente e inesperadamente vemos la dimensión sobrenatural injertada en los miembros de esta comunidad humana.

La trama de la novela tradicional está en el hilo de la acción que se enreda y se desenreda para atrapar la atención del lector. Cuando esta secuencia se desenvuelve en el tiempo con sentido lógico estamos ante el concepto tradicional del argumento. Lo importante es que la acción, la trama y el argumento son elementos que le dan unidad a una novela. En *Redil de ovejas* el sentido tradicional de acción, trama y argumento no existe; pero sí existen los elementos que le dan unidad a la estructura de la novela. El argumento de esta obra en las iluminaciones que tiene el lector al encontrarle sentido novelístico a esta obra. Esta novela implica un reto al lector para que le encuentre identidad a los personajes, y que también se responda una de las preguntas claves. ¿Quién es el narrador? ¿Quién es la persona que habla?- Cuando el lector se ilumina le encuentra el logos emotivo de la novela. Cuando el lector se ilumina le encuentra, la lógica emocional al argumento. Las revelaciones del lector es el elemento que le da unidad a la obra. Esta novela se narra así misma y el lector tiene que encontrarle su unidad argumental, a pesar de la multiplicidad de puntos de vista y la infinidad de perspectiva. Las narraciones más leídas de la humanidad tienen al menos cuatro puntos de vista aceptados y cientos de perspectivas apócrifas, pero el narrador genuino es la comunidad presencial con múltiples perspecticas auténticas y legendarias que no excluyen elementos míticos. Muchos testigos tienen más veracidad que uno solo.- Las formas de la narración implican un elemento estructural de la realidad. El argumento de *Redil de ovejas* rompe con el concepto lógico y racional para expresar la lógica emocional del misterio.

Estas rupturas de los elementos tradicionales de una novela: acción, trama, argumento, tiempo y perspectiva es una manera significante de destacar el valor temático de la novela a través de su organización inconsciente donde la forma es parte de su fondo y el contenido forma el continente, porque la estructura es temática, y porque la realidad no es más que la forma que tiene la verdad de narrar su leyenda.

El arte de crear los personajes. El protagonista de esta obra es el personaje colectivo, y el autor es el personaje colectivo que se crea recíproca y reflexivamente desde todos los registros del habla.

La aparición de los personajes es breve pero intensa, casi nunca aparece una sola vez. El artificio creativo del lector es identificar el personaje y relacionarlo. El artificio del autor es anonadar la tercera persona del narrador. Esta intención es imposible, casi se logra pero se frustra, porque existe la novela con su éxito y su fracaso, pero persiste la percepción de que no existe la ficción ni tampoco el narrador. Este es el verdadero arte de narrar, desde el génesis y desde el origen de la palabra, después vino la historia, donde se ha perdido la transparencia de la objetividad, porque cuando el hombre somete los hechos a las leyes del tiempo al intelecto y a la lógica se pierde el instinto creativo, y con ello la participación del narrador en la índole de las cosas y en la naturaleza de los hechos. Con la razón, el hombre pone los hechos y las cosas fuera de si, y hasta los distancia. La transparencia creativa sólo la recupera el hombre con la instuición artística, que esta novela sí tiene, y que salva y recupera.

La novela parece una serie de diálogos grabados que el autor ha ordenado y editado, pero en esta novela no hay orden ni editor.- No, eso es un efecto querido por el autor, porque para enfocar una cámara hace falta la tercera persona del editor del diálogo.

La metáfora de la cámara y la grabadora es insuficiente como imagen crítica, porque en cada instante de esta novela hay multiplicidad de perspectivas, que no puede captar una sola cámara. Con las noticias de los periódicos la perspectiva del "meeting" se ha ido al futuro, y tenemos el futuro de la noticia en el presente del suceso. El arte de crear el personaje por el autor colectivo tiene multiplicidad de puntos de vista en el tiempo y en el espacio, pero también tiene un modo de mirar íntimo y emocional que superpone en tiempo pasado, el tiempo presente y el tiempo futuro. Una visión emotiva de la realidad, realidad válida, porque esa es la verdad integral del pueblo mexicano, como todos los pueblos americanos tienen un realismo metafórico, nunca un realismo mágico. El Realismo mágico es una visión degradada de la realidad que trata de atar a nuestros pueblos a los dioses muertos de la materia, que desde el descubrimiento han sido liberados por el Dios del espíritu. La calumnia mágica y hechizante ha pasado sin dejar muchos rastros porque no se puede volver a la realidad creativa por el mito y por el absurdo, ni mucho menos por los que tratan de someter los hechos al panteísmo determinista de las dialécticas materialistas, que carecen de diálogo, porque es absoluta y absolutista, y que está muerta, porque no tiene espíritu.

El personaje colectivo tiene múltiples perspectivas, pero solo dos nombres primordiales: Rosa María y Bernardo. El arte creativo del lector está en relacionarlo e identificarlo. En el meeting aparecen diferentes Bernardos y Rosa Marías: un matrimonio cristiano que tiene 4 hijos: Rosa María, Lourdes, Martín y Bernardo. Bernardo y Rosa María un par de novios jóvenes que tienen conflictos religiosos. Bernardo un señor viudo de Rosa María. No se puede decir que son las mismas personas en diferentes momentos de su vida porque todo hace referencias al meeting del 15 de mayo de 1961.

La descripción de la anciana Rosita comienza con la descripción del personaje colectivo que asiste al confesionario. Ningún lector puede imaginarse que este personaje tenga tanta fuerza humana en el desarrollo de la novela. El lector está ante el hormiguero humano que asiste al confesionario. Una persona que asiste al meeting ve a alguien que se le parece a doña Rosita y trata de recrear el personaje en la memoria para salvar el pasado a través del recuerdo.

Este párrafo tiene una gran efectividad novelística, parece escrito por el autor que desde niño tenía el proyecto de escribir esta novela. Otros personajes de la novela continúan trazando el perfil de doña Rosita. Ella misma acaba de crearse así misma con cooperación de la gracia de Dios. Rosita es un personaje que evoluciona ante los ojos del lector: primero parece una beata superticiosa que asiste al confesionario, después los niños la tienen como a una bruja, más tarde el mismo niño Bernardo la tiene como a una santa. La gran sorpresa en doña Rosita es que en el último párrafo de la novela, Rosita tiene el pasado de la Güera. Desde luego Güera es un apodo que se le dice a las rubias en México, desde luego el conflicto nominal está salvado.

En la obra hay también múltiples personajes que tienen el nombre de Bernardo, pero donde mejor podemos apreciar el artificio de los nombres es en el encuentro del padre Bernardo y el niño Bernardo. El padre Bernardo tiene el pasado del niño Bernardo y el niño Bernardo tiene el futuro del padre Bernardo.

Todo se identifica en esta novela, la viejita mística y santa tiene el pasado de una pecadora y la pecadora tiene el futuro de una santa. Esto no está en contra de la lógica del argumento, la condición humana está sometida a grandes cambios.

Desde luego que los personajes que hablan pueden cometer errores de identificación o confundirse debido a los errores de la memoria humana.

La confusión de los nombres está muy bien tratada: los nombres pueden ser objeto de diminutivos pero también de sobrenombres y apodos. El autor confunde los nombres para centralizar el tema de la obra: la transformación del individuo en el seno de una comunidad espiritual. Estos hombres, estas mujeres identificados en un solo cuerpo. La eternidad de Dios encarnada en el tiempo del hombre. El tiempo del hombre en la eternidad de Dios. El tema de la obra es la comunidad, la congregación más allá del tiempo y el espacio. Esta novela es una serie de vivencias de una verdad sobrenatural. Un grupo de hombres y mujeres humildes que vistos de lejos son pillos, incestuosos, brujas, prostitutas, pero vistos de cerca desde adentro, son santas y santos, aunque no ángeles ni arcángeles, porque están llenos de compromisos humanos. El tema de la obra es el Cuerpo Místico aunque el adjetivo acabe por devorar al sustantivo.

Conclusiones de la estructura. Esta obra rompe con todos los elementos formales de la estructura novelística: destruye el concepto del protagonista, aniquila el personaje, desmitifica al héroe, exonera al villano, presinde del fulanismo, confunde los puntos de vista, multiplica la perspectiva, termina con el maniqueísmo novelístico del bien y el mal, fragmenta el concepto del tiempo y dispersa sus pedazos, quiebra el hilo de la acción, desbarata la trama y el argumento pierde su razón lógica.- Esto no lo hace el autor por capricho no por afán experimental, sino para darle más significado temático a los elementos que forman la estructura de la novela.

Para crear un nuevo significado narrativo hay que romper las formas gastadas de la novela. Lo mismo que sucede con la estructura de la metáfora en un plano lingüístico, sucede con la novela en un plano narrativo. *Redil de oveias* rompe con los elementos de la tradición novelística para crear un nuevo significado temático y estructural, por eso, rompe con los sintagmas y con los paradigmas novelísticos. *Redil de ovejas* no es una novela objetiva, ni objetal, ni alienada. Esta novela es subjetiva y sus personajes tienen establecido una simbología para comunicarse e identificarse.- Aunque los personajes no tengan la identidad de los nombres, tienen la identidad de los símbolos. Esta obra está escrita para América y los americanos, no está buscando los puntos de vista peyorativos del Realismo mágico, para hacerle gracias a la crítica europea y norteamericana. Los personajes humildes de esta novela tienen una idiosincracia, esta gente humilde y anónima tienen una gran dignidad humana.

La tercera persona del narrador omnipotente se convierte en el narrador fragmentario de la comunidad, que vive su historia y narra su leyenda íntima como un subproducto de sus quehaceres cotidianos, cuando la palabra se encarna en la comunidad para darle significado a los hechos y a la vida. La destrucción del tiempo novelístico concentra más en el tiempo sobrenatural: la eternidad encarnada en el tiempo.- No se puede entender una comunidad sin comprender su perspectiva creadora del tiempo en coordinación con Dios.- A pesar de las decepciones y los fracasos, los personajes de esta obra tienen un futuro con sentido. El tiempo sucede pero los personajes no lo definen, lo viven y le dan significado de acuerdo con su propia vida, el autor tampoco lo define, además no se mete para nada en la novela. El tiempo es profético y los personajes se enfrentan valientemente al tiempo lineal sin refugiarse en los mitos panteístas del eterno retorno. El tiempo novelístico es disperso pero el tiempo humano es lineal y los personajes de esta novela lo recrean en cooperación con Dios. El argumento pierde su razón lógica pero no su aspecto organizador y unificador. El argumento está en las iluminaciones que tiene el lector al poder relacionar los sucesos de la novela e identificar los personajes.- Entendiendo por argumento el elemento que le da unidad a una obra. Las iluminaciones que tiene el lector al encontrarle significado al Cuerpo místico, en la diversidad y la solidaridad de sus miembros, es lo que le da unidad a la obra. La novela presinde del autor pero depende del lector para que le encuentre su significado. Este es el elemento que coordina la novela y éste es el argumento. Las formas de narrar es un elemento estructural de la realidad misma, porque el argumento es lo que le da significado a los hechos y a la vida, si no los hechos pasarían inadvertidos y la vida carecería de sentido. Cuando el lector se ilumina los hechos y los sucesos adquieren significado colectivo. Las iluminaciones del lector es la razón lógica del argumento; sin este elemento unificador la obra hubiera sido un caos amorfo. El argumento es el logos lógico de donde la preceptiva tradicional ha derivado su significado. La diferencia está, en que en esta obra, la fuerza unificadora del argumento ha pasado de la perspectiva del escritor a la perspectiva del lector; por eso, las iluminaciones del lector es el argumento que le da unidad a la obra. El logos encarnado que le da significado y forma a la narración y contenido a la vida.

El tema estructural de la novela es el Cuerpo místico, aunque el adjetivo se trague al sustantivo porque se le ha encarnado la palabra, aunque el misterio de la verdad permanezca vedado a la razón. Estos cambios de la estructura novelística coinciden y se asimilan a la estructura de la vida: tiempo, perspectiva, acción, trama y argumento, sin necesidad de hablar de las formas que la vida se expresa y se cuenta; por eso, la vida real y cotidiana se transforma en vida real y sobrenatural, con los mismos elementos de la organización novelística, aunque con diferente estructura íntima. Lo grande de esta novela es lo implícito, lo que no dice el autor ni los personajes: la gracia invisible, que es el motor que mueve la acción, desenreda la trama, desmitifica el tiempo, transforma los personajes y le da la razón sobrenatural al argumento, que unifica el tema y lo contiene. Todos los hombres se identifican sin el fulanismo de los nombres. Todos los hombres de la obra son miembros del Cuerpo místico y practican el sacramento de la hermandad. En esta novela persiste la percepción de que no existe la ficción, que los personajes son personas, que el tiempo de la novela es el tiempo sobrenatural del hombre y el misterio de la narración y la vida no se desvela a la razón crítica, sino que se revela al lector, porque la realidad es la forma que tiene la verdad de narrar su leyenda.

---

[1] Vicente Leñero, *Redil de ovejas* 2 edición, Joaquín Mortis S.A. México 1971

[2] Si definimos el argumento de acuerdo a la úlitimas corrientes críticas, como el elemento que le da unidad a una obra. *Perspective of ficction,* Oxford university press 1968 V. nota 7

[3] Wayne C. Booth, *The Rhetoric of fiction,* "The Author many voices" The University press, 1970. p16

[4] Roland Barthes, *Estructuralismo y literatura,* "El Discurso de la historia", Nueva Visión, Argentina, pag 35

[5] E.M. Forest, *Aspects of the fiction,* N.Y. 1927

[6] Octavio Paz, Libertad bajo palabra "Piedra de sol".

[7] Most of the deprecation of the plot are based on the claim that life does not not provide plot, and literature should be like life. Mirian allot, *Novelist on the novel* "Plot and story" pp 241-251 N.Y. 1959. Desde luego la novela española y la novela hispanoamericana generan sus propios paradigmas novelísticos, puede coincidir con la organización externa pero la estructura íntima rompe con los paradigmas universales.

ESTUDIO ESTRUCTURAL DE *EL EVANGELIO DE LUCAS GAVILAN* [1]

Hemos seleccionado *EL EVANGELIO DE LUCAS GAVILAN*, porque es la novela más polémica que se ha escrito en México desde el punto de vista religioso, político y social. *EL EVANGELIO DE LUCAS GAVILAN* rompe con todas las imágenes de Cristo que han tratado de crear todas las filosofías y todas las teologías a través de los tiempos; sin embargo, el Cristo de esta obra tiene veracidad novelística, es decir autenticidad apócrifa. No pudimos resistirnos la tentación de hacer un estudio escriturístico de la ficción, que nos plantea una verdad existencial y un compromiso humano.

Cristo en el tiempo es el irrepetible [2] absoluto, sin embargo es la medida de todas las cosas y de todas las épocas, por eso todas las eras y todos los movimientos filosóficos han tratado de atraparlo en una definición, lo único que han logrado los positivismos y los racionalismos es el reflejo de un fantasma limitado por su punto de vista. Las imágenes de los cristos góticos y barrocos logran ilustrar verdades, pero sometidas a las perspectiva de su época.[3] El autor apócrifo confiesa que la imagen de Cristo de esta obra es de acuerdo a la "Teología de la liberacion" con óptica racionalista y propósito desmitificador, pero Cristo es la medida de todas las cosas y además es espejo significante que define a los que tratan de definirlo.

Importancia de la perspectiva.- El hecho que un escritor cristiano actual escriba una obra apócrifa sobre Jesús; no es herético sino un esfuerzo auténtico para entender la persona de Jesús en el siglo XX, es más, es un afán de actualizar la verdad original.

Muchos teólogos opinan que la teología debiera partir de experiencias actuales y, no ya de las escrituras y la tradición, apoyándose entonces en razones antropológicas, hermenéuticas y religiosas, considero que esta postura es una falsa alternativa. La tarea de la teología cristiana consiste en establecer una interrelación entre el análisis del presente y la reflección hermenéutica a fin de sacar de ese conjunto una orientacion que nos permita vivir como cristianos de modo responsable y abierto al futuro[4].

La eventual repercusión del pasado en el presente depende de la respuesta que demos a esta pregunta: ¿Hasta que punto la historia encierra un futuro que no hemos tenido en cuenta? La pérdida de identidad vital del cristianismo actual, no puede remediarse con una reactualización, sino con actitudes y vivencias de contenido existencial[5].

Esto es lo que ha hecho Vicente Leñero, ha tomado el Evangelio de San Lucas para adaptarlo al presente Mexicano con relación al futuro. Veamos lo que dice el autor del Evangelio de Lucas Gavilán:

Decidí intentar mi propia versión narrativa impulsado por las actuales corrientes de la teología latinoamericana.Los estudios de José Sobrino, de Leonardo Boff, de Gustavo Gutiérrez y de tantos otros, pero sobre todo el trabajo práctico que realizan ya numerosos cristianos a contrapelo del catolicismo institucional, me animaron a escribir esta paráfrasis del EVANGELIO. Según SAN LUCAS buscando, con máximo rigor, una traducción de cada enseñanza, de cada milagro y de cada pasaje al ambiente contemporáneo del México de hoy desde una óptica racional y con un propósito desmitificador[6].

Ya desde el prólogo se plantea la pregunta estructural de los registros del habla. ¿Quién es el narrador? - Estamos ya en el ámbito de la ficción. Esta obra es una novela perifrástica y su narrador ficticio es Lucas Gavilán. La perspectiva del narrador es también ficción pero le da a la obra realismo novelístico. El nombre del evangelista apócrifo nos hace recordar el texto que se remeda y el apellido el texto remedado.

El punto de vista es el de la teología de la liberación, con óptica racional y con propósito desmitificador. La desmitificación es la piedra de escándalo en la interpretación de los evangelios y, realmente no debiera ser. Bultman ha sido el iniciador de este movimiento. La desmitificación tiene una intención pastoral. Estos teólogos piensan que el lenguaje mítico de los evangelios impiden al hombre actual comprender su verdadero significado de salvación y liberación y por lo tanto, no le permite hacer una desición existencial aquí y ahora.

Es necesario entender la intención religiosa de la novela de Vicente Leñero. Es un esfuerzo sincero para que el mensaje de la liberación cristiana llegue al hombre de hoy. Este es un propósito válido y saludable. La revelación es una manifestación de Dios en la palabra, pero es también una experiencia humana expresada en lenguaje del hombre y, una de sus finalidades es liberar al hombre de la esclavitud de los mitos. "conoced la verdad y la verdad os hará libre". El punto débil de la desmitificación está en lo que ella cree que son mitos. Bultman cree que los milagros de los evangelios y la resurrección carecen de significado para el hombre de hoy y, esto no es verdad, la resurrección tiene un gran significado para el hombre actual, porque es una verdad y una esperanza para el hombre eterno. La resurrección es el fundamento y la esperanza de la creencia cristiana. Sin resurección, decía San Pablo, vana es nuestra fe. El mito es una palabra que se ha ido redefiniendo a través de los siglos y sin cambiar su significante ha cambiado su significado. El filósofo Vico[7] es uno de los responsables de este cambio de significado. Los cristianos también han aceptado esta evolución semántica; sin embargo esta palabra sigue dando problemas. Lo cierto es que el mensaje del cristianismo primitivo, fue una liberación de la fatalidad de los mitos griegos que esclavizaban a los hombres. Los evangelios no nacieron de un mito. Los evangelios nacieron de la máxima revelación de Dios en la palabra, en Cristo, aunque esta verdad esté expresada en el lenguaje de los hombres.

La diferencia del Cristo histórico y el Cristo teológico, no es más que la diferencia entre una visión natural y una visión sobrenatural enriquecida por los ojos de la fe. La ciencia histórica olvida a veces esta verdad epistemológica, sólo vemos lo que tenemos en nuestra perspectiva íntima, pero no hay duda que el afán científico de estas disciplinas históricas, nos han hecho pensar más hondo, por lo tanto más profundo en nuestra fe.

Con respecto a la teología de la liberación, esto no debe causarnos ninguna preocupación, porque toda teología cristiana es una teología de liberación. Esto no implica que aceptemos una síntesis entre entre el marxismo y el cristianismo. La imagen de Dios en el marxismo es la alienación del hombre. Los cristianos no pueden ceder en esto; si aceptamos los dogmas de incredulidad marxista, Cristo como Dios es una alienación y como hombre es un loco.

Desde una perspectiva social, el punto de vista más débil de esta teología, está en creer que los pueblos avanzan con la praxis marxista. Este sofisma lo desmiente la historia y el presente de los pueblos de Europa. Los pueblos avanzan solamente por evolución democrática. Con respecto a los métodos marxistas sucede lo mismo; los pueblos están cansados del maquiavelismo comunista, la hipocrecía oficial y la retórica del odio. En esta obra están muy bien tratados los métodos marxistas, especialmente en el pasaje "El tributo debido al César".

Desde el punto de vista religioso la crítica no está justificada, si se interpreta la obra de acuerdo con su género literario, la obra es una novela, una paráfrasis del Evangelio según San Lucas con afán demitificador y de acuerdo con la Teología de la liberación, una metáfora moderna de Cristo, que no pretende tener realidad histórica en el ámbito de los hechos.

La óptica racionalista es otra cosa. El racionalismo es parte de dogmas de incredulidad; por ejemplo, los milagros no pueden suceder, ni puede haber resurección. El racionalismo parte siempre de un punto de vista prejuiciado, por lo tanto descalificado; además no sepuede estudiar un asunto con una técnica que lo destruya. Si la premisa niega por anticipado un asunto, no vale la pena estudiarlo.

Straus y Renán escribieron la vida de Cristo de este punto de vista y sacaron conclusiones alegóricas muy interesantes y utilizables, porque al fin y al cabo, él es la medida de todas las cosas y de todas las filosofías, y no lo contrario, Cristo no es una perspectiva, ni un sujeto de la historia, ni objeto del pensamiento, ni una teoría del conocimiento. El es el que define y juzga todas las cosas y de todas las cosas desde un punto de vista eterno mientras éste lo niega, o aquel lo racionaliza, o el otro lo mistifica, o lo confunde históricamente; sin embargo, el crea el tiempo y se encarna en él para redimir la historia.

Resumiendo. *El Evangelio de Lucas Gavilán* es novela y su perspectiva es ficción. El punto de vista está también integrado en la novela que es también ficción. La ficción del narrador le da veracidad novelística a la obra.

La perspectiva es tan importante que se apodera de su título. El narrador de novela es un evangelista apócrifo que interpreta los hechos y los dichos de Cristo de acuerdo a la Teología de la liberación. Lo mismo que hizo San Lucas con el Evangelio de San Marcos, el documento "Q" y otros testimonios fidedignos. El evangelio de San Lucas está escrito en una etapa avanzada de la iglesia primitiva, porque la meditación y la oración hizo que el evangelista comprendiera mejor el mensaje de Cristo a la luz de la revelación progresiva.

Los hechos a veces pueden carecer de sentido por si mismo. El narrador les da significado de acuerdo con su punto de vista. La perspectiva nos da la objetividad de una realidad pero también expresa la verdad íntima de quien la escribe. La perspectiva es el elemento principal para analizar la estructura de esta obra, porque *El Evangelio de Lucas Gavilán* es el punto de vista de la Teología de la liberación remedando *El Evangelio de San Lucas,* pero el Evangelio de San Lucas es en el punto de vista teológico de la iglesia primitiva de acuerdo con hechos reales por testigos fidedignos que narraban su verdad mas íntima.

El Argumento.- Si interpretamos por argumento, el elemento que le da unidad a una obra, podríamos pensar que este sería la vida de Jesucristo Gómez, pero este sólo es el hilo temporal que une la trama de la obra. En el Evangelio canónico de San Lucas, la vida de Jesucristo sí es el argumento. *En el Evangelio de Lucas Gavilán* el argumento está en el paralelo que se crea entre ambos documentos. En el *Evangelio de Lucas Gavilán* esta en el género literario que la contiene, en la paráfrasis del Evangelio de San Lucas, en el suspenso que crea el paralelo distante. En los evangelios canónicos el argumento que le da unidad a la obra está en el personaje, que es la persona que le da unidad a la obra, pero en *Evangelio de Lucas Gavilán* la razón del argumento está en la readaptación del Evangelio al siglo XX mexicano.

Cada vez que el narrador anuncia el pasaje del evangelio canónico el lector se impacienta, para ver como se resuelve la ecuación histórica. El lector disciplinado no debe saltar los pasajes para comparar las situaciones diferentes. En mi caso el pasaje clave sería la resurección que da el mensaje definitivo de la obra pero si esto hacemos, perderíamos el suspenso que es el acicate de la lectura.

Sería absurdo leer este libro sin hacer la referencia al evangelio canónico. La verdad es única pero la comprensión aumenta en el corazón del hombre a medida que pasa el tiempo. Cuando leemos esta obra tenemos que encontrar la ambivalencia que se enriquece en la imagen de los espejos paralelos. La Teoría literaria ha estudiado este tipo de género en la parodia, sin embargo la parodia tiende a criticar y rebajar las propiedades del discurso precedente, pero puede exaltarla de cierta manera. Cervantes en el Quijote ridiculiza los libros de caballería pero exalta el espíritu caballerezco. Si el espiritu crítico no está presente, la obra comparada se convierte en plagio. En el Evangelio de Lucas Gavilán el espiritu crítico está en la modernización del Evangelio para que sea útil al hombre contemporáneo: en la actualización del mensaje de liberación cristiana para enfrentarlo a la explotación, a la hipocresía oficial, a la corrupción del poder, a las religiones acomodaticias y a la beatería indiferente; la modernización también la encontramos en la actualización del lenguaje que da vida y espíritu a la expresión popular. Aclarado el espíritu crítico veamos como estudia el estructuralismo y escriturístico esta forma literaria.

"En efecto, existe un registro del habla cuya significación al mismo tiempo del aspecto referencial y de una relación que vincula el aspecto literal con otros textos; podemos denominarlo discurso connotativo. Se trata de un discurso polivalente, puesto que es capaz de presentar varias relaciones de referencia al mismo tiempo, el caso más frecuente es la bivalencia. La extención de este registro es evidentemente muy grande: un discurso que no se refiere a ningún discurso anterior, sino unicamente a su referente, resulta apenas concebible.

La historia trató no sin sospecha a este tipo de escritura. La única forma autorizada era la que ridiculiza y rebaja las propiedades del discurso precedente: la parodia. Si el matiz crítico está ausente el historiador de la literatura habla de"plagio". Un error grocero consiste en considerar que el texto que remeda es reemplazado por el texto remedado. Se olvida que la relación de ambos textos no es mera indicación, sino que admite una gran variedad y sobre todo una gran parte de la significación del segundo texto en la referencia al primero. Las palabras de un discurso connotativo remite en dos direcciones; privarlo una de otra, significa no comprenderlo[9].

La técnica narrativa.- El argumento paralelo alcanza gran efectividad novelística gracias a la técnica narrativa ambivalente. El autor cuenta en un ámbito natural y cotidiano pero deja abierta la puerta para interpretación sobrenatural. La Anunciación es un ejemplo típico. María David ha ido a ver una comadrona, esta le pregunta, si el niño es de José, María le responde que no, la comadrona le insinua un aborto, pero María le contesta con el "hágase de la Virgen", con "el hágase la voluntad de Dios" evangélico, que implica atención en escuchar y cooperación en la entrega, entrega en aceptar un destino tan grande que no entendió hasta la resurrección, pero al que fue fiel desde Belén hasta el Gólgota.

El Lenguaje. El lenguaje le da actualidad histórica a la novela. La estructura metafórica del habla, especialmente en los chistes manifiesta la ideosincracia del pueblo mexicano, su emotividad espiritual y su sentido del humor .

El aspecto linguístico tiene una estrecha relación con la técnica ambivalente de la narración y el argumento. Los mexicanismos usados con doble intención llenan la obra de colorido popular. En esta obra el acercamiento linguístico se encuentra en estrecha relación con su intención crítica: enfrentar a Cristo con los problemas del México actual. Jesuscristo habla el lenguaje de su pueblo, como Jesuscristo hablaba el lenguaje popular de su pueblo, el Arameo. En el pasaje titulado "El tributo debido al César", los fariseos tratan de atrapar a Cristo con una trampa linguística, a lo que Jesús responde con una gran sagacidad intelectual:"Dad a Dios lo que es Dios y al César lo que es del César"; en el Evangelio de Lucas Gavilán los comunistas tratan de atrapar a Jesuscristo Gómez con una trampa dialéctica, con el pretexto de la frase marxista "la legalidad es relativa", pero que en el caso indicado cubría una serie de mentiras fraudulentas, a lo que Jesuscristo Gómez responde, con una frase llena de sabiduría popular:"Yo soy pobre pero no soy un tarugo". Ni al Jesuscristo evangélico ni al apócrifo mexicano se le puede embutir con un tarugo dialéctico.

Las Parábolas.- Una de las exageraciones del positivismo es pintar la imagen de Cristo como un genio literario, para después restarle divinidad. No, Cristo no fue un genio literario, sin embargo expresa sus verdades con tanta efectividad que sus imágenes parecen lenguaje directo, donde el contenido desborda la transparencia invisible del significado en la viva voz de la palabra. Las parábolas son el mejor ejemplo, donde el significado desborda el significante literario, en estas parábolas se encuentra más viva el habla del Cristo histórico y también su mensaje, porque estas figuras nemotécnicas contienen verdades eternas que la preservan de la oradación del tiempo. Muy poco puede hacer Lucas Gavilán al parafrasear lo original y lo perfecto, lo único que puede lograr es actualizar el marco histórico que contiene el pasaje y el paisaje.

En la parábola del "Buen Samaritano" el acierto está en la adaptación hístorica de lo secundario. El Dr. de la ley, es el interlocutor del diálogo que introduce la parábola, es un beato seudo-intelectual con preocupaciones liberales. El Dr. de la ley es un símbolo arquetípico de la hipocrecía religiosa, el beato es un tipo caricaturesco trazado a grandes rasgos, pero con vivencia y carácter de persona novelada en personaje.- Ambos tienen una preocupación por la letra de la norma escrita, por la religión organizada y por los diálogos que no llegan a ninguna parte. La ambivalencia reflectiva de ambas historias identifica los problemas del presente en el pasado, actualiza la historia, multiplica el mensaje de ambos discursos y facilita las soluciones.

En todas las parábolas el autor utiliza la misma técnica, adaptación histórica de lo secundario matizada de americanismos y de mexicanismos llenos de colorido popular. Su mensaje principal permanece inalterable, porque es eterno, por lo tanto no se puede modernizar, lo mismo sucede con la originalidad sorpresiva, que no se puede repetir ni parafrasear. Este es el significado de la palabra "Parábola", desmiente su paráfrasis. En las parabolas "El Apócrifo" tiene que enfrentarse con el fracaso inevitable de la paráfrasis degradada en plagio, pero no puede evitarlo porque rompería la unidad del argumento paralelo, que es lo que le da unidad y veracidad a la novela, pero el fallo se atenúa con la adaptación de lo secundario y la gracia del lenguaje coloquial.

Los capítulos de la pasión son más difíciles para crear el paralelo argumental; sin embargo, el autor estructura la paráfrasis de las situaciones y los personajes con maestría.- En las épocas decadentes las fuerzas negativas de la sociedad, aunque se odien entre si, se ponen de acuerdo para condenar a un inocente. El dístico de Pilatos y el Procurador es un gran acierto. Pilatos sabía que Jesús era inocente pero lo entregó por las presiones políticas, lo mismo hace el Procurador, ambos representan lo mismo, el funcionario venal que entrega a un inocente por cobardía. Ambos tienen sentimientos de culpabilidad pero ceden por presiones, por miedo a perder su puesto, no se atreve a expresar sus convicciones y en un monólogo interior da rienda suelta al fluir de su conciencia para expresar su conflicto íntimo: "Hasta cuando dejaremos de hacernos bolas y hasta cuando dejará de hacer cada policía lo que se le antoje.

Yo estoy pintado o que. A mi me vienen y me dicen y yo digo y como si hablara a las piedras, siempre hay pretexto para torcer una orden o nunca falta un telefonazo para cambiar las cosas a beneficios de quien. Si yo a veces no entiendo menos van a entender las gentes y asi mejor renunciar. Donde está el poder entonces. Cual poder o cual justicia hasta para casos de segunda o tercera. Es el colmo. Era clarísimo. Un pobre loco deschavetado y se acabó. Que lo encierren y punto. Según yo, ni siquiera eso valía la pena, carambas, tanto escándalo para un caso de nada que a fuerza me obligaron a enredar para convertirlo en un chivo expiatorio de otros casos sin resolver no por mi culpa ni por la culpa de nuestra dependencia, sino por la maldita culpa de ese montonal de policías y más policías cada vez más fuera de control, quien iba a pensarlo".

Pero mas tarde agrega: "Yo no estoy aqui para arriesgar mi puesto"

El primer delito del procurador y de Pilatos es no creer en la justicia. El segundo es hacerse complice en un crimen por miedo a perder su puesto. La racionalización del procurador aunque de pena, no es válida, porque él está en esa posición para hacer justicia, no para transar con la injusticia. El juez y el funcionario justo es la única defensa que tiene el inocente en contra de las fuerzas negativas de una sociedad. El delito del procurador es grave. Si tan solo una de las figuras de las maquinaciones oficiales se hubiera opuesto al crimen Jesuscristo Gómez no hubiera sido asesinado, tampoco lo hubiera sido el Cristo evangélico, pero cuando todas las fuerzas negativas de una sociedad se ponen de acuerdo comienza el reino temporal de las tinieblas y el mal.

Si el procurador hubiera sentido la importancia de su posición, si hubiera respetado su persona, si hubiera respetado la dignidad de la persona de Jesuscristo Gómez, el crimen no se hubiera realizado. Siempre somos importantes, porque es un plan de Dios darnos un destino de dignidad y valentía, sino creemos en esto, le damos entrada a la cobardía.

Cristo es el irrepetible absoluto pero cada vez que se condena a un inocente por decir una verdad que libera, Cristo retorna para identificarse con la víctima. Es la misión profética de bajar la justicia a la tierra por la palabra y su misión de martir, de dar un testimonio de vida con su muerte, y de vida eterna. Esto se explica en el misterio del cuerpo místico donde Cristo se identifica con todos los miembros de su iglesia universal y eterna.

Los Milagros y la Resurrección

Unos de los mayores aciertos de esta obra está en el interpretación de los milagros desde un punto de vista racionalista. Estos milagros siempre tienen alguna ambivalencia con el evangelio de San Lucas. Estas referencias tienen una gran enseñanza de acuerdo con la teología de la liberación.- Esto tiene cierta relación con la interpretación política. San Agustín había dicho:

"Los hechos de la palabra son también palabra". Eso quiere decir que la finalidad de algunos milagros es ilustrar una verdad cristiana. Los milagros de Cristo en el evangelio de San Lucas no son solo parte de la predicación sino que tienen un sentido en si mismo. Así curó Jesús al paralítico como un signo expreso del perdón de los pecados. En este caso no se trataba de probar que Jesús puede obrar en el orden de lo invisible, sino también de un signo de lo invisible: el hombre curado, que se va a casa con su camilla a cuestas, es un signo del perdón y curación que alcanza mas allá de la muerte. Esto explica que los cristianos de las catacumbas pintaran al paralítico cargado con su camilla sobre los sepulcros de sus seres queridos. La pintura simbolizaba el perdón por el bautismo, la alegría eterna[10].

En el evangelio de Lucas Gavilán, la finalidad del milagro esta en ilustrar una verdad cristiana. En el milagro del paralítico en la ficción de Lenero, el milagro se convierte también en signo primordial del perdón.

El sindicato independiente de la laminadora Azteca había decidido aplicar la claúsula de exclusión al paralítico Gutiérrez, y por eso, cuando Jesuscristo Goméz trató de medir en favor del obrero de manera semejante a como había intervenido para salvar a Saturno Peña, los miembros radicales del sindicato pusieron el grito en el cielo:

- Y quien chingados se está creyendo este tipo?
- Se cree juez?
- Se cree lider?
- De donde saca autoridad para meterse en nuestras broncas?

El paraíftico Gutiérrez era un tipo muy dolido desde el accidente que lo dejó baldado de la pierna derecha. Dolido porque sus compañeros sindicalistas no abogaron por él, no le consiguieron completa su indemnización, no movieron un dedo para evitar que la empresa la arrumbara tareas muy por debajo de su habilidad para manejar como pocos la máquina ocho, la que le fregó la pierna. Por eso juró vengarse y aceptó hacerla de soplón cuando empezó el movimiento para destacar la huelga. La huelga se cebó, y los sindicalistas radicales le endilgaron toda la culpa al Paralítico Gutiérrez. Entonces intervino Jesuscristo Gómez.

- Con que derecho?

- A santos de que?

- Quien fregados lo llamó a redimir traidores?

Lo había llamado un grupo minoritario de sindicalistas, convencidos de que la claúsula de exclusión era un castigo para un compañero a quien todos abandonaron en la de malas. Esa era la verdad y querían que Jesuscristo la dijera por ellos en plena asamblea, rompiendo todas las reglas, si es cierto, no importa, pero quien mejor que Jesuscristo para defender causas perdidas.

Resultó difícil tomar la palabra, como difícil había resultado, a los del grupo minoritario introducir a Jesuscristo Gómez en el salón: tuvieron que descolgarlo por el tragaluz junto con el paralítico Gutiérrez, entre un escándalo mayúsculo, empellones y trompadas a granel.

A duras penas trato de imponer Jesuscristo su vozarrón acallando insultos y mociones de orden. Cuando al fin lo consiguió hablo de corrido, sin interrumpirse:

Si estaba allí de metiche no era por metiche sino porque consideraba importante que la lucha sindical no se desgastara en, enfrentamientos inútiles. El paralítico Gutiérrez era mas una víctima que un culpable, víctima de sus propios compañeros ingratos y víctima sobre todo de las manos corruptoras de una empresa que sabía aprovechar muy bien los resentimientos de un marginado para madrugarle al sindicato en cualquier plan reinvindicador, como había ocurrido en el caso de esta huelga. Pero lo importante seguía siendo la huelga y en general toda la lucha orientada a defender los derechos obreros. Ese objetivo no podía, no debía perderse. Las pugnas internas, las divisiones solo favorecían las políticas injustas de la empresa. Era ella quien estaba fomentando esos conflictos. Entiéndalo asi. Veánlo asi. No caigan en la trampa decía Jesuscristo Gómez a los asambleistas a cada instante más tranquilos, más atentos. Le aplaudieron al terminar, media hora después. La asamblea resolvió no aplicar la clausula de exclusión al Paralítico Gutiérrez.

En el evangelio de Lucas Gavilán la ambivalencia está en que el obrero Gutiérrez es paralítico y también es bajado por una claraboya a través del techo. La multivalencia fundamental está en el signo del perdón, en el perdón de los hombres y en el perdón de la asamblea; pero el signo se vuelve multiple cuando se le añaden otros significados morales. Todos somos un poco responsables del pecado de los demás. Nunca somos suficientemente santos para evitar el pecado de los otros, si es que llegamos a evitar los propios. Por eso, cuando la asamblea está perdonando al paralítico Gutiérrez está también perdonando a los compañeros ingratos que cometieron el pecado de omisión de no ayudar a un amigo en desgracia. En este caso el evangelio de Lucas Gavilán es una reactualización de la palabra evangélica.

El autor tiene el acierto de llamar a la reunión de los obreros: "Asamblea" que quiere decir iglesia, en la corresponsabilidad del Cuerpo místico. Esta coincidencia no es casual en la estructura íntima de la obra en la ambivalencia multivalente de la corresponsabilidad del pecado en el misterio del perdón en el Cuerpo místico".

El caso de hemorroisa y resurección de la hija de Hairo

La hija de Alcadio Jordán, huérfano de madre, debido a las indiferencias de su padre se fue con un mecánico que la abandonó más tarde dejándola en estado; la jovencita se hizo un aborto del que apenas se recuperó fisicamente pero se quedó con una gran depresión que la tenía al borde del suicidio. Alcadio Jordán fue a ver a Jesuscristo Gómez para pedirle ayuda.

Jesuscristo Gómez prometió visitarlos, pero se demoró por el asunto de la hemorroisa.

En el caso de la mujer encorbada tenemos un pasaje de un milagro que se vuelve parábola por su enseñanza; en el Evangelio de San Lucas la mujer está maniatada por el demonio a su imperfección física, Jesús la libera de su exclavitud un sábado, a pesar de los legalismos retardatarios de"La Ley".

La madre Remedio esta maniatada por los legalismos de una organización religiosa explotadora y aburguesada. La madre Remedio no es una abstracción prototípica sino un personaje vivo con una gran fuerza humana: —Vicente Leñero tiene la virtud de describir con solo unos rasgos un personaje sin desfigurarlo en una caricatura. -La madre Remedio es una de esas religiosas mexicanas que han ofrecido su virginidad y su vida con un ideal de martirio por la causa de Cristo y, han terminado haciendo el oficio de sirvienta de algún parroco aburguesado o de una orden religiosa explotadora.- Aunque el sueño ha perdido su contenido heroico de la humildad y la obediencia la sostienen su vocación.—Lo han dado todo sin la consolación de ver el fruto, aunque a veces los frutos mas ricos son los invisibles. -Había soñado con ofrecer su muerte y ha ofrendado su vida en servicios humildes. La obediencia y el sacrificio siempre producen frutos ciertos. La oración mueve montañas la virtud del servicio es una forma de adoración, pero nadie puede explotar a nadie en nombre de Cristo. El Cristo de la teología de la liberación, salva a los hombres y a las mujeres de todas las exclavitudes. El Cristo de la teología de la liberación ama el sacrificio, pero el sacrificio que está dirigido a la salvación y a la liberación de los hombres. Los cristianos tienen que renovarse para adaptarse a las necesidades de cada momento y, aunque Cristo sea el irrepetible absoluto, como todo un hombre, y como todo un Dios, asume también el Jesuscristo Gómez de la ficción, porque Cristo no solo vino a salvar los hombres de una época y de una nación, sino a todas las épocas y a todas las naciones y a los desamparados y a los exclavizados de México y de toda América porque Cristo vino a salvar todos los espacios, por eso encarnó en el tiempo para salvar la historia y su futuro.

Doña Tele llevaba trabajando en la aduana tres años, su marido se metió en un negocio de drogas y ella tomó de la caja de la aduana una cantidad considerable de dinero para garantizar la operación con la idea de reponerlo mas tarde, la operación resulto un fraude y la Tele perdió el dinero y estaba a punto de ir a la carcel. La Tele fue entonces a ver a Jesuscristo Gómez para que le resolviera el problema, desde luego Jesuscristo Gómez no tenía el dinero, entonces Jesuscristo Gómez y sus apóstoles vendieron la sangre a un hospital y le consiguieron a la Tele el dinero que le faltaba. Este pasaje del Evangelio de Lucas Gavilán tiene varias coincidencias físicas con el Evangelio de San Lucas: El jalón que le da la Tele a la ropa de Jesuscristo Gómez. El flujo de sangre de la hemorroiza y la sangre que Jesuscristo Gómez da para las transfuciones. Pero la ambivalencia se vuelve multivalencia moral.

El signo del milagro colma y desborda el significante, Jesuscristo Gómez y los apóstoles dan su sangre para liberar del pecado a una"vieja pinche", como decía Pedro, que ha desfalcado $15,000,00 pesos por un negocio de drogas. El mensaje de este milagro desbarata el maniqueísmo del bien y el mal. Cristo vino a salvar a los buenos, a los malos y a los peores.

Cuando Jesuscristo Gómez llegó a casa de Arcadio Jordán, Clarita ya había atentado contra su vida, se había tomado un pomo de nembutales, Jesuscristo Gómez no esperó a que llegara la ambulancia, le prestó los primeros auxilios y la hizo vomitar, despues la visito en el hospital para darle ánimo y la convenció para que fuera a estudiar, para que rehiciera su vida, porque como le dijo: "todo es futuro".

La resurección de la hija de Alcadio Jordán y la hija de Hairo tienen una equivalencia en la homonimía de los nombres: Hairo y Jordan; la otra ambivalencia es la siguiente: cuando llega Jesuscristo todos creen que la niña está muerta, en ambos pasajes Cristo se demora. La diferencia esta en Jesuscristo resuelve el problema sobre-naturalmente y Jesuscristo Gómez lo resuelve en un plano racional, pero en ambos caso vemos la compasión de Cristo en la realización del milagro. La muerte espiritual es tan aparente como la muerte física. Lo importante es saber que Cristo tiene palabra de resurección y vida eterna y, este es el signo, además lo que es tarde para los hombres es la hora de Dios.

El Milagro fundamental. La Resurección.- El acierto de esta obra es que los milagros están contados con óptica racionalista y con propósito demitificador; sin embargo, Jesuscristo Gómez resucita con validez narrativa, a pesar de los dogmas de incredulidad, gracias al argumento paralelo y la técnica narrativa ambivalente.

La resurrección tiene un doble significado: vital y simbólico, Jesuscristo Gómez resucita como sacerdote en los dos aspectos de la iglesia una: Cuerpo místico y organización. La resurrección no solo es simbólica sino también vital, Jesuscristo Gómez resucita con acciones humanas identificables, como el hecho de comer mandarinas, si no es reconocible, es un paralelo más con el Cristo evangélico que resucita transfigurado en la glorificación.

El Evangelio de Lucas Gavilán es novela y por lo tanto ficción y, en ella Jesuscristo Gómez resucita con validez narrativa y con lógica argumental. Que Lucas Gavilán ha usado la óptica racionalista y el propósito desmitificador para traicionarlos, es cierto, pero esta es una de las funciones de la revelación en este siglo secularizado y descralizado: producir la luz de la verdad a través de los dogmas oscuros de incredulidad, y pronunciar la palabra creadora y organizadora del cosmos y la cultura, a pesar de los cristales distorsionados del materialismo, para darnos la imagen fiel de Cristo resucitado, a pesar de los espejos trastornados del racionalismo; por eso, el autor apócrifo de esta obra no tiene solo cien años de perdón sino diez mil años de salvación, porque Cristo en vez de ser objeto de una definición, es el sujeto que crea la historia que define a los que tratan de definirlo y los perdona, porque no saben lo que hacen.

Estas dos novelas plantean dos grandes metáforas: *Redil de Ovejas* es la metáfora del *Cuerpo místico,* metáfora sobre metáfora, Cuerpo místico es una metáfora que regresa sin ser decadente.- La decadencia tropológica es una regresión de la naturaleza a la imagen. La metáfora de esta novela es de un retorno ascendente, de la ficción novelística a la realidad cotidiana; además de tener el vigor de la iglesia primitiva, lo metafórico de la novela retorna a lo metaforizado de la realidad que se sobrenaturaliza en virtud de la imagen. Esta realidad se sobrenaturaliza en virtud de la imagen mística.

El Evangelio de Lucas Gavilán es una metáfora del evangelio de San Lucas. -En una metáfora se presentan como idénticos dos términos distintos .-En esta novela lo que se superpone es el tiempo y el punto de vista. Jesuscristo Gómez es una metáfora del Cristo evangélico. El tiempo y el punto de vista son elementos son elementos principales para analizar la estructura íntima de la metáfora. Esta es una típica metáfora emocional porque va al valor del mensaje y superpone tiempo sobre tiempo. Esa es la virtud del Cristo histórico que se desplaza tropologicamente en el tiempo y en el espacio con mensaje único y nuevo de valor eterno.

---

[1] Vicente Leñero *El Evangelio de Lucas Gavilán,* Editorial Ariel Seix Barral cuarta edición, México 1981

[2] Hans Urs Von Balthasar, *Teología de la historia,* Ediciones Guadarrama, Madrid, 1959.

[3] Romano Guardini, *La imagen de Jesús, El Cristo, En El Nuevo Testamento,* Ediciones Guadarrama, Madrid, 1960.

[4] Edward Schillebeeckx, *Cristo y los cristianos,* Ediciones Cristianidad segunda edición, Madrid,1981.

[5] J.B. Mets, Politshed Theoligy in der Diskussion, Ed. Peukert, Magnucia, Munich, 1970.

[6] Ibid ~ 12

[7] Gianbattista Vico, *Ciencia Nueva,* Ediciones Orbe, Spain 1985.

[8] El filosofo Marxista ha dicho: "Render-le nous" devolvednos a Jesús de Nazaret (a los que no pertenecen a la Iglesia, e incluso a los que no creemos en Dios.)

[9] Tzventan-Todorof *"Que es el Estructuralismo,* La Poética estructural" pag. 116, Editorial Lozada Buenos Aires, 1971.

[10] Catecismo Holandés, Editorial Herder, BARCELONA, PAG 113

[11] Ibid 286.

TRANSPARENCIAS DEL YO Y EL SER EN "PIEDRA DE SOL" DE OCTAVIO PAZ

Octavió Paz es un poeta afortunado; además de la virtud de su propia poesía, posee la virtud de una buena crítica. Pero aún la mejor crítica, estratifica la interpretación dinámica de un poema cuando trata de hacer abstracciones generales de la obra de un autor. Este trabajo tampoco pretende ser definitivo, sólo hemos querido canalizar los medios de expresión imaginativos. No hemos intentado traducir el poema de la emoción estética al intelecto, ni de la intuición poética a la razón. Sólo hemos querido recrear el poema desde nuestra circunstancia y desde nuestra perspectiva, que es la finalidad del poema para cada lector. En esta finalidad nos ha ayudado la libertad del poema. El autor ha respetado la intención del lector. Las metáforas distantes inventan el espacio para la imaginación y la fe creativa del lector. Toda lectura sincera de un poema es una respuesta; por eso creemos en la otredad poética, en las implicaciones polifacéticas de un poema, dándole a esta palabra contenido temporal y espacial, como las fases de la luna. La lectura de un poema puede ser acción, pero tambien reacción. Esta es la virtud del poema, y en este ámbito hemos trabajado.

Después de haber terminado este estudio, hemos comprobado que este poema contiene los principales temas de la poesía paciana, además de contener las angustias fundamentales del existencialismo contemporáneo: la iluminación, la concepción dramática de la existencia humana, la conversión personal, el tema del "otro", el compromiso social, la vida expuesta, la verdad existencial, el reino de nosotros, el oscurecimiento del "yoismo" y la transparencia del ser. Sin rechazar el encuentro temático, hemos querido mantener nuestra intención original de recreación estructural.

El título. El título es un elemento del poema: representa el tiempo-circular. "Piedra de sol" mas que un calendario representa la cosmogonía azteca relacionada con el tiempo existencial. El poeta asimila su tiempo al ciclo del calendario trasladando su vida al destino del poema.

Las imágenes. Este es un poema de sucesión caminante, pues las imágenes se suceden unas detrás de otras, reflexiva y reflectivamente. Cada imagen se expresa a sí misma y se completa con las imágenes siguientes, además las imágenes posteriores a su vez se revierten y le dan más significado a las imágenes anteriores. Ninguna imagen tiene solamente contenido individual; sino que todas las imágenes concatenadas y estructuradas expresan el secreto del poema. El poema expresa algunas ideas que influyen sobre el intelecto pero las imágenes influyen sobre la imaginación del lector, que es el verdadero creador del poema. Las imágenes crean un lenguaje simbólico para una definicion existencial de la realidad, que no abstrae la realidad sino que nos retorna a lo concreto de una vivencia dinámica. Las imagenes aveces se unen paradójicamente con el objeto, como el futuro y el pasado se unen en el instante presente, como el hombre y la mujer se desnudan y se unen bíblicamente para descubrir su raíz eterna.

El poema no solo tiene la virtud de revivir la experiencia y atrapar el tiempo en un dimanar paralelo; sino que crea el tiempo en una vivencia dinámica, en el ámbito del poema. El tiempo del poema es circular como las metáforas que retornan en las imágenes atomizadas del otro en el espejo fragmentado. La imagen final del poema es la transparencia, la imagen del objeto sin distorsión, la identificación del sujeto y el objeto en una transparencia iluminada.

un sauce de cristal, un chopo de agua,'
un alto surtidor que el viento arquea,
un arbol.bien plantado mas danzante,
un caminar de río que se curva, '
avanza, retrocede, da un rodeo
y llega siempre:
un caminar tranquilo
de estrella o primavera sin premura,
agua que con los párpados,cerrados
mana toda la noche profecías,
unánime presencia en oleaje,
ola tras ola hasta cubrirlo todo,
verde soberanía sin ocaso
como el deslumbramiento de las alas
cuando se abren en mitad del cielo,

La primera metáfora se refiere posiblemente a un sauce blanco, que tiene las ramas flexibles y péndulas. La segunda metáfora se refiere a un álamo, cuyas hojas tiemblan al influjo del viento. Ambas imágenes se refieren metaforizadas y metafóricamente al alto surtidor que el viento arquea, en el cristal del sauce y en el agua del chopo. Hay transparencia de espejo en las imágenes de esta metáfora. El sauce de cristal y el chopo de agua se pueden sustituir por el alto surtidor que el viento arquea, y el surtidor con el árbol plantado mas danzante, que a su vez puede ser un chopo de agua o un sauce de cristal. Esta sucesión de metáforas no son independientes, avanza de lo metaforizado a lo metafórico y regresa de lo metafórico a lo metaforizado dando una múltiple perspectiva tropológica a esta estrofa inicial. Es el retorno circular y enriquecido de la imagen ante el espejo que no se fragmenta en la reflexión el círculo infinito. La imagen no atrapa ni congela la vida como una fotografía. La imagen es ágil y reflectiva como el fantasma del espejo, no pierde su inquietud de azogue, gana la eternidad en la transparencia perdurable del cristal. Sólo nos queda la transparencia.

Después las imágenes verticales se vuelven horizontales y el río avanza y retrocede y llega siempre. El cauce da rodeos en meandros-lentos, pero las aguas llegan siempre. Este plano horizontal no es menos circular. Esta sucesión de imágenes se refleja hacia delante y hacia atrás, concatenadas, dinámica y reflectivamente. El andar es sereno de estrella en órbita o primavera cíclica. El agua sonámbula dimana profecía. Este andar no tiene el racionalismo de los ojos abiertos, sino el surrealismo sonámbulo de los ojos cerrados, abiertos a su íntima realidad. Las olas pierden su unanimidad individual y lo cubren todo, sin decadencia con la plenitud de unas alas que se abren en mitad del cielo.

un caminar entre las espesuras
de los días futuros y el aciago
fulgor de la desdicha como un ave
petrificando el bosque con su canto
y las felicidades inminentes
entre las ramas que se desvanecen,
horas de luz que pican ya los pájaros,
presagios que se escapan de la mano,

Esta estrofa habla de un caminar entre la espesura de futuros días infaustos y de mal agüero como el canto de ave que petrifica el bosque y las felicidades inminentes, las que creíamos seguras. El tiempo se resume en las horas maduras, que pican ya los pájaros. La plenitud de la hora se ha hecho apocalíptica, porque el tiempo pasado se ha hecho presente en el futuro.

una presencia como un canto súbito,
como el viento cantando en el incendio,
una mirada que sostiene en vilo
al mundo con sus mares y sus montes,
cuerpo de luz filtrada por un ágata,
piernas de luz, vientre de luz, bahías,
roca solar, cuerpo color de nube,
color de día rápido que salta,
la hora centellea y tiene cuerpo,
el mundo ya es visible por tu cuerpo,
es transparente por tu transparencia,

Esta presencia de la hora total es como canto precipitado y violento que petrifica el bosque, como el viento ardiendo en la llamarada. Después tenemos el mundo sostenido por una mirada. El hombre crea el mundo con su poética, pero esto es solipsismo ateo. El hombre puede crear el mundo con su palabra, pero el mundo había sido creado antes en el mundo de los hechos, la creación de la palabra le da significado. El hombre criatura crea el mundo desde su perspectiva poética, el poema, pero el mundo ya había sido creado desde otra perspectiva. El gran poema de la creación en el mundo de la palabra es recreación en el mundo de los hechos. El mundo de los hechos ya había sido creado por la palabra de Dios.

Una mirada que mantiene el mundo suspendido. Esta mirada es un cuerpo de luz filtrado por un ágata. Este cuerpo tiene pierna y vientre de luz. Esta mirada tiene color de tiempo. El tiempo hecho hora tambien adquiere cuerpo. El mundo es visible por la mirada. El mundo es visible por la transparencia de la mirada. Esta mirada que sostiene el mundo es la perspectiva transparente del poeta libre del " yoísmo". La mirada adquiere personalidad propia, por eso es un cuerpo de luz filtrado por un ágata. El ágata es la subjetividad del poeta como los cristales de una transparencia. Esta subjetividad pretende ser inexistente como la transparencia del poema. Este es uno de los grandes temas existenciales del poema y de toda la obra de Octavio Paz. El hombre iluminado está abierto a la transparencia para ver el mundo, pero esta transparencia se obscurece por el "yoísmo" de la persona. Todo el poema es una búsqueda de sí mismo, de la intimidad por la iluminación del "yo", pero la intimidad consiste en abrirse a otros generosamente, en iluminarse. El egoismo "yoísta" de encerrarse en sí mismo, oscurece y apaga a los hombres. La perspectiva transparente del poeta y su transparencia.

El poeta no está encerrado en sí, ni apagado en su egoísmo; sino abierto e iluminado al espacio infinito y al instante eterno. Esta apertura al espacio y al tiempo es su iluminación de descubrirse a sí mismo El poeta iluminado sin dejar de ser; él mismo es su transparencia, en su intimidad cósmica capta el universo. Lo que oscurece y empaña el cristal de la transparencia son las sombras del egoísmo, que se encierran y se apagan en el yo. La opacidad proviene que yo soy para mí mismo y lo opaco proviene que yo me interpongo entre mí yo y el mundo. El poema por el contrario es una decantación de la luz y una búsqueda de la transparencia y la iluminación.

voy entre galerías de sonidos,
fluyo entre las presencias resonantes,
voy por las transparencias como un ciego,
un reflejo me borra, nazco en otro,
oh bosque de pilares encantados,
bajo los arcos de la luz penetro
los corredores de un otoño diáfano.

La mirada se ha independizado del poeta, por eso depende del oído y va por una galería de sonidos ciego como una transparencia.

voy por tu cuerpo como por el mundo,
tu vientre es una plaza soleada,
tus pechos dos iglesias donde oficia
la sangre sus misterios paralelos,
mis miradas te cubren como yedra,
eres una ciudad que el mar asedia,
una muralla que la luz divide
en dos mitades de color durazno,

un paraje de sal, rocas y pájaros
bajo la ley del mediodía absorto,

El cuerpo es lo que se compara con el mundo y el mundo es lo comparado. Esto implica la metáfora del vientre y la plaza soleada, más difícil aunque en el mismo nivel tropológico, la metáfora de los senos que están llenos de doble misterio litúrgico. Después el poeta compara la mujer con una ciudad asediada por el mar.

vestida del color de mis deseos
como mi pensamiento vas desnuda,
voy por tus ojos como por el agua,
los tigres beben sueño en esos ojos,
el colibrí se quema en esas llamas,
voy por tu frente como por la luna,
como la nube por tu pensamiento,
voy por tu vientre como por tus sueños,

El poeta viste a la mujer de sus deseos y la compara con la desnudez de sus pensamientos, entonces se traslada a los ojos de la mujer y los compara con el agua. Los tigres van a beber agua en estas aguas de sueño. El colibrí que se parece al fuego se quema en la llama de sus ojos, recordemos que la mujer va vestida del color de sus deseos. Sigue el viaje por el cuerpo de la mujer y compara su frente con la luna, como su pensamiento con la nubes, retorna al cuerpo de la mujer y compara su vientre con sus sueños. Estas comparaciones distantes tienen la finalidad de integrarla con el cosmos.

tu falda de maíz ondula y canta,
tu falda de cristal, tu falda de agua,

tus labios, tus cabellos, tus miradas,
toda la noche llueves, todo el día
abres mi pecho con tus dedos de agua,
cierras mis ojos con tu boca de agua,
sobre mis huesos llueves, en mi pecho
hunde raíces de agua un árbol líquido,

El poeta compara la mujer con un campo de maíz que ondula y canta; después compara su falda con el cristal, cuando la comparación parece impropia se compara con el agua y se justifica el cristal y las ondas de un mar de maíz, pero toda la mujer es agua que abre y cierra los labios del poeta con raíces de agua. La mujer se compara con el símbolo femenino del agua y el mito mexicano del maíz, cuando se ha logrado la integración, lo metafórico retorna y se posesiona del poeta.

voy por tu talle como por un río,
voy por tu cuerpo como por un bosque,
como por un sendero en la montaña
que en un abismo brusco se termina,
voy por tus pensamientos afilados
y a la salida de tu blanca frente
mi sombra despeñada se destroza,
recojo mis fragmentos uno a uno
y prosigo sin cuerpo, busco a tientas,

El cuerpo de la mujer es río, bosque, sendero, montaña y abismo. El poeta va por el cuerpo de la amada como un sendero que termina en un abismo. Entonces camina por los pensamientos de la amada que son los afilados precipicios del abismo. Cuando se para al borde del abismo siente el vértigo de la altura (El hombre no tentará a Dios en el suicidio). Aquí se ha caído sólo su sombra. El poeta recoge los pedazos de sombra y prosigue sin cuerpo.

corredores sin fin de la memoria,
puertas abiertas a un salón vacío
donde se pudren todos los veranos,
las joyas de la sed arden al fondo,
rostro desvanecido al recordarlo,
mano que se deshace si la toco,
caballerías de arañas en tumulto
sobre sonrisas de hace muchos años,

El poeta mira al pasado y no encuentra nada. Octavio Paz es un poeta existencial pero barroco. El existente sólo mira al presente. El futuro es un compromiso de presente, el pasado no existe y su reminiscencia es sólo para activarlo en el presente. El barroco mira al presente desde el pasado, por eso se le escapa como el río de Manrique.

a la salida de mi frente busco,
busco sin encontrar, busco un instante,
un rostro de relámpago y tormenta
corriendo entre los árboles nocturnos,
rostro de lluvia en un jardín a oscuras
agua tenaz que fluye a mi
costado,
busco sin encontrar, escribo a solas,
no hay nadie, cae el día, cae el año,
caigo con el instante, caigo a fondo,
invisible camino sobre espejos
que repiten mi imagen destrozada,

piso días, instantes caminados,
piso los pensamientos de mi sombra,
piso mi sombra en busca de un instante,

El poeta busca un instante y cae con el instante que repite su imagen destrozada. En este abismo instantáneo de tiempo su imagen se fragmenta, como si cada instante no fuese reflexión temporal sino reflejo espacial atomizado, entonces el poeta pisa los pensamientos en busca del instante. El instante en la poesía de Octavio Paz es una síntesis de pasado y porvenir.

busco una fecha viva como un pájaro,
busco el sol de las cinco de la tarde
templado por los muros de tezontle:
la hora maduraba sus racimos
y al abrirse salían las muchachas
de su entraña rosada y se esparcían
por los patios de piedra del colegio,
alta como el otoño caminaba
envuelta por la luz bajo la arcada
y el espacio al ceñirla la vestía
de una piel más dorada y transparente,

La fragmentación confusa del pasado hace que el poeta busque una fecha viva y encuentra la hora madura del día, a la cinco de la tarde, cuando esta hora se abre las muchachas salen por el patio del colegio. En la búsqueda de la fecha viva encuentra una mujer existente alta como el otoño, antes y después esta mujer se integra con el símbolo femenino, pero aquí es una mujer existencial que el espacio viste de transparencia. En esta estrofa las imágenes no son imágenes estáticas de un pretérito indefinido; sino que el poeta se ha trasladado al pasado y ve el tiempo fluir en pretérito imperfecto de los verbos. La alta muchacha no es tampoco un símbolo estático sino una mujer existente ceñida por el espacio y el tiempo.

tigre color de luz, pardo venado
por los alrededores de la noche,
entrevista muchacha reclinada
en los balcones verdes de la lluvia,
adolescente rostro innumerable,
he olvidado tu nombre, Melusina,
Laura, Isabel, Perséfona, María,
tienes todos los rostros y ninguno,
eres todas las horas y ninguna,
te pareces al árbol y a la nube,
eres todos los pájaros y un astro,
te pareces al filo de la espada
y a la copa de sangre del verdugo,
yedra que avanza, envuelve y desarraiga
al alma y la divide de sí misma,

El poeta habla miméticamente de dos elementos opuestos en una situación de la naturaleza, la fiera color de luz y la presa color de sombras. El poeta es las dos cosas y entrevista adolescentes en los balcones de la primavera.

El poeta olvida el nombre de todas las mujeres simbólicas: Melusina, la figura heráldica, mitad mujer y mitad serpiente; Laura e Isabel, símbolos del amor cortés, inspiradoras de Petrarca y Garcilaso; Perséfona que simboliza el proceso de la agricultura. Esta mujer es todas las mujeres pero también es ninguna mujer; esta mujer es todos los tiempos, pero también es ningún tiempo; lo transitorio y lo permanente: el árbol y la nube, el astro y los pájaros. A estos dos elementos opuestos, lo que pasa y lo permanente, se compara con el filo de la espada homicida y con la copa de sangre del verdugo. La técnica sigue identificando los elementos opuestos y todas las cosas. La identificación unitaria se logra, la yedra avanza pero el alma se divide en la unidad de los opuestos. Es posible abstraerlo y sintetizarlo todo por la palabra, pero el alma al identificar los contrarios se divide a sí misma, entonces es ella misma y el otro.

escritura de fuego sobre el jade,
grieta en la roca, reina de serpientes,
columna de vapor, fuente en la peña,
circo lunar, peñasco de las águilas,
grano de anís, espina diminuta
y mortal que da penas inmortales,
pastora de los valles submarinos
y guardiana del valle de los muertos,
liana que cuelga del cantil del vértigo,
enredadera, planta venenosa,
flor de resurrección, uva de vida,
señora de la flauta y del relámpago,
terraza del jazmín, sal en la herida,
ramo de rosas para el fusilado,
nieve en agosto, luna del patíbulo,
escritura del mar sobre el basalto,
escritura del viento en el desierto,
testamento del sol, granada, espiga,

La letanía comienza con una frase apocalíptica. La letanía resume las creencias de la humanidad con respecto a la mujer.

rostro de llamas, rostro devorado,
adolescente rostro perseguido
años fantasmas, días circulares
que dan al mismo patio, al mismo muro,
arde el instante y son un solo rostro
los sucesivos rostros de la llama,
todos los nombres son un solo nombre,
todos los rostros son un solo rostro,
todos los siglos son un solo instante
y por todos los siglos de los siglos
cierra el paso al futuro un par de ojos,

El poeta se recuerda de los días de su adolescencia que dan al mismo muro donde recuerda la alta muchacha del otoño. Así como las diferentes variaciones de la llama son una sola llama, todos los hombres son un solo hombre y todos los tiempos son un solo instante. Las abstracciones del tiempo y de los hombres detienen el devenir.

No hay nada frente a mí, solo un instante
rescatado esta noche, contra un sueño
de ayuntadas imágenes soñado,
duramente esculpido contra el sueño,
arrancado a la nada de esta noche,
a pulso levantado letra a letra,
mientras afuera el tiempo se desboca
y golpea las puertas de mi alma
el mundo con su horario carnicero,

El poeta ha sintetizado el presente, el pasado y el futuro en un solo instante con una intuición emocional. El poeta solo tiene el instante del presente instantáneo, que se lo arranca a la noche en que escribe el poema. El instante es rescatado del cotidiano dormir de piedra, que es la vida apagada del hombre. El poeta haciendo un esfuerzo rescata este instante como un verso del atropello del tiempo, letra a letra, pero afuera se desboca el tiempo con su horario carnicero. El descubrimiento del instante rescatado del sueño del tiempo es otra de las iluminaciones del poema, que hace consciente al hombre del eterno presente del instante único.

solo un instante mientras las ciudades,
los nombres, los sabores, lo vivido,
se desmoronan en mi frente ciega,
mientras la pesadumbre de la noche
mi pensamiento humilla y mi esqueleto,
y mi sangre camina más despacio
y mis dientes se aflojan y mis ojos
se nublan y los días y los años
sus horrores vacíos acumulan,

El descubrimiento del instante presente y eterno se reafirma, mientras todo se desmorona,—la ciudad, el mundo y hasta el mismo cuerpo físico del poeta

mientras el tiempo cierra su abanico
y no hay nada detrás de sus imágenes
el instante se abisma y sobrenada
rodeado de muerte, amenazado
por la noche y su lúgubre bostezo,
amenazado por la algarabía
de la muerte vivaz y enmascarada
el instante se abisma y se penetra,
como un puño se cierra, como un fruto
que madura hacia dentro de sí mismo
y a sí mismo se bebe y se derrama

el instante translúcido se cierra
y madura hacia dentro echa raíces,
crece dentro de mí, me ocupa todo,
me expulsa su follaje delirante,
mis pensamientos sólo son sus pájaros,
su mercurio circula por mis venas,
árbol mental, frutos sabor de tiempo,

El tiempo es como un abanico abierto, cuando cierra sus varillas, las imágenes pintadas ya no se pueden ver, pero la estrofa va mas allá y niega la existencia de las imágenes. El instante, centro temporal del poema, está rodeado de muerte temporal. El instante como un fruto madura hacia dentro, hecha raíces y da fruto de tiempo. Esta estrofa se caracteriza por las imágenes de contracción temporal y por la concentración del instante: el abanico, el puño, y el fruto. El instante es más que una superposición del pasado, del futuro y del presente, es una concentración atrapada del tiempo en un instante. Este instante hecha raíces y da frutos de tiempo.

oh vida por vivir y ya vivida,
tiempo que vuelve en una marejada
y se retira sin volver el rostro,
lo que pasó no fue pero está siendo
y silenciosamente desemboca
en otro instante que se desvanece:

El instante eterno es algo diferente del tiempo con su horario carnicero. El instante eterno parece que es la trascendencia del tiempo cristiano, pero no lo es; el instante de Octavio Paz es el instante presente sin pasado ni futuro, que desemboca en otro instante que también se desvanece. Octavio Paz se estremece ante lo irreversible del tiempo perdurable, ante el viaje sin regreso de su vida, por eso, se niega a aceptar lo inesperado del futuro. Por lo tanto, niega el tiempo lineal y se refugia en las culturas ancestrales que niegan el tiempo lineal, especificamente la azteca y.la india. Basándose en estas culturas se defiende de la realidad del tiempo lineal y reconstruye los arquetipos y los mitos circulares para una regeneración periódica del tiempo. El tiempo como retorno. El mito del eterno retorno. La aceptación del tiempo lineal conduce al hombre a la desesperación, a la desesperación de no volver y a la angustia de un viaje a lo desconocido acechado de peligros. Los fantasmas de la nueva novedad y las ficciones de los mitos electrónicos de las deshumanizaciones futuras. Los arquetipos y los mitos no pueden ser trascendidos sin impunidad, a menos que descubramos el significado más allá de la historia del tiempo lineal, a menos que aceptemos una filosofía de la libertad humana que no excluya un creador. Los arquetipos y los mitos de las repeticiones solo pueden ser superados y trascendidos por la fe, que introduce una nueva teoría del conocimiento y una nueva categoría en la experiencia religiosa, que implica una fuerza vital que mueve montañas y una nueva libertad que hace al hombre copartícipe de la creación. Esta fe es lo único que defiende al hombre del tiempo histórico y lineal. Esta fe es libertad sustentada, garantizada y sostenida por Dios. El hombre se libera primero de los mitos griegos de la fatalidad. La fe cristiana es la perspectiva del hombre maduro que descubre la libertad creativa del tiempo lineal. La pérdida de esta fe es un retorno a la superstición opresora de los mitos.

frente a la tarde de salitre y piedra
armada de navajas invisibles
una roja escritura indescifrable
escribes en mi piel y esas heridas
como un traje de llamas me recubren,
ardo sin consumirme, busco el agua
y en tus ojos no hay agua, son de piedra,
y tus pechos, tu vientre, tus caderas
son de piedra, tu boca sabe a polvo,
tu boca sabe.a tiempo emponzoñado,
tu cuerpo.sabe a pozo sin salida,
pasadizo de espejos que repiten
los ojos del sediento, pasadizo
que vuelve siempre al punto de partida,
y tu me llevas ciego de la mano
por esas galerías obstinadas
hacia el centro del círculo y te yergues
como un fulgor que se congela en hacha,
como luz que desuella, fascinante
como el cadalso para el condenado,
flexible como el látigo y esbelta
como un arma gemela de la luna,
y tus palabras afiladas cavan
mi pecho y me despueblan y vacían,
uno a uno me arrancas los recuerdos,
he olvidado mi nombre, mis amigos
gruñen entre los cerdos o se pudren
comidos por el sol en un barranco,

Una escritura jeroglífica escribe sobre la piel del poeta. El poeta busca el agua, el elemento femenino, pero encuentra la piedra y la pesadez fragmentada de los espejos, continúa su andar desesperado hasta encontrarse en el centro del círculo: el fulgor se congela en hacha, como el tiempo se congela en instante, como el cadalso para el condenado. Sus palabras afiladas no sólo cortan sino que socavan el pecho del poeta. El poeta ha olvidado su nombre mientras sus amigos se convierten en cerdos o se pudren bajo el sol.

no hay nada en mi sino una larga herida,
una oquedad que ya nadie recorre
presente sin ventanas, pensamiento
que vuelve, se repite, se refleja
y se pierde en su misma transparencia,
conciencia traspasada por un ojo
que se mira mirarse hasta anegarse
de claridad:

No queda nada, sino el dolor de un presente sin perspectiva, los pensamientos circulares y las miradas transparentes ante la transparencia.

yo vi tu atroz escama,
Melusina, brillar verdosa al alba,
dormías enroscada entre las sábanas
y al despertar gritaste como un pájaro
y caiste sin fin, quebrada y blanca,
nada quedó de ti sino tu grito,
y al cabo de los siglos me descubro
con tos y mala vista, barajando
viejas fotos:

Melusina es una hada o una sirena mítica de Francia, cuyo cuerpo terminaba en cola de pez. Se enamoró de ella el conde Raimundo de Poitier, quien la raptó, llevándose sus tesoros. Melusina mandó a construir para su esposo el castillo de Lusiñan y no se dejaba ver más que sobre las altas torres y enlutada cuando iba a morir alguna persona de la familia. Raimundo, instigado por su hermano, el conde Foret, sorprendió a Melusina en el baño y al descubrir su verdadera naturaleza, huyó la sirena transformada en dragón o serpiente. Esta leyenda sirvió de tema a una novela de Juan Arrás (1387), que la dedica al duque de Berry. Melusina aparece como hija de un rey de Albania y de una hechicera que había otorgado a su hija la facultad de transformarse en sirena, todos los sábados, por los que en esos días se aislaba sin recibir a nadie. Melusina fue también un símbolo surrealista y fue el personaje en una novela de Breton. La multitud de cambios y transformaciones del mito se ajustan a la estructura íntima del poema.

No hay nadie, no eres nadie,
un montón de ceniza y una escoba,
un cuchillo mellado y un plumero,
un pellejo colgado de unos huesos,
un racimo ya seco, un hoyo negro
y en el fondo del hoyo los dos ojos
de una niña ahogada hace mil años,

No hay duda que la alusión al mito de Melusina se refleja sobre una mujer en particular, que a su vez refleja el eterno femenino. La serpiente representa la fecundidad, en los mitos cananeos y por esa vía penetró en el Génesis.

miradas enterradas en un pozo,
miradas que nos ven desde el principio,
mirada niña de la madre vieja

que ve en el hijo grande un padre joven,
mirada madre de la niña sola
que ve en el padre grande un hijo niño,
miradas que nos miran desde el fondo
de la vida y son trampas de la muerte
—¿o es al revés: caer en esos ojos
es volver a la vida verdadera?,
En esta estrofa se continúa el mito del eterno retorno.
¡caer, volver, soñarme y que me sueñen
otros ojos futuros, otra vida,
otras nubes, morirme de otra muerte!
— esta noche me basta, y este instante
que no acaba de abrirse y revelarme
dónde estuve, quién fui, cómo te llamas,
como me llamo yo:

Para el poeta todos somos uno con diferente perspectiva o con un tiempo diferente. Entonces se olvida de la individualidad espacial y de la individualidad humana, del nombre del individuo con quien habla y el nombre del que habla.

¿hacía planes
para el verano—y todos los veranos—
en Christopher Street, hace diez años,
con Filis que tenía dos hoyuelos
donde bebían luz los gorriones?,
¿por la Reforma Carmen me decía
"no pesa el aire, aquí siempre es octubre",
o se lo dijo a otro que he perdido
o yo lo invento y nadie me lo ha dicho?,
¿caminé por la noche de Oaxaca,
inmensa y verdinegra como un árbol,

hablando solo como el viento loco
y al llegar a mi cuarto—siempre un cuarto—
no me reconocieron los espejos?,
¿desde el hotel Vernet vimos al alba
bailar con los castaños —"ya es muy tarde"
decías al peinarte y yo veía
manchas en la pared, sin decir nada?,
¿subimos juntos a la torre, vimos
caer la tarde desde el arrecife?,
¿comimos uvas en Bidart?, ¿compramos ,
gardenias en Perote?,

El poeta se lanza a la búsqueda del tiempo perdido y desde el pasado mira al futuro. Se mira en el pasado como si fuera otro o como si fuera una invención de sí mismo, cuando regresa ya es otro, porque no lo reconocen ni los espejos.

nombres, sitios,
calles y calles, rostros, plazas, calles,
estaciones, un parque, cuartos solos,
manchas en la pared, alguien se peina,
alguien canta a mi lado, alguien se viste,
cuartos, lugares, calles, nombres, cuartos,

El poeta hace inventario de su viaje por el mundo y del "otro" que va con él.

Madrid, 1937,
en la Plaza del Angel las mujeres
cosían y cantaban con sus hijos,
después sonó la alarma y hubo gritos,
casas arrodilladas en el polvo,
torres hendidas, frentes escupidas

y el huracán de los motores, fijo:
los dos se desnudaron y se amaron
por defender nuestra porción eterna,
nuestra ración de tiempo y paraíso,
tocar nuestra raiz y recobrarnos
recobrar nuestra herencia arrebatada
por ladrones de vida hace mil siglos,
los dos se desnudaron y besaron
porque las desnudeces enlazadas
saltan el tiempo y son invulnerables,
nada las toca, vuelven al principio,
no hay tu ni yo, mañana, ayer ni nombres,
verdad de dos en sólo un cuerpo y alma,
oh ser total...

Precisa una fecha viva durante la guerra civil española, durante un bombardeo, donde describe a los aviones que bombardeaban como huracanes de motores fijos; en este momento crucial dos amantes se desnudan para defender su porción eterna, porque la pasión eterniza a los hombres. La desnudez es equivalente a la transparencia. La desnudez en el amor erótico es el equivalente a la transparencia espiritual. La transparencia es la apertura total del espiritu a otra persona. La desnudez es la puerta de entrega del amor de los cuerpos para descubrir su porción eterna. Es el regreso al Génesis cuando todo era joven y original, cuando el hombre poseía el patrimonio total de la Naturaleza.

cuartos a la deriva
entre ciudades que se van a pique,
cuartos y calles, nombres como heridas,
el cuarto con ventanas a otros cuartos

con el mismo papel descolorido
donde un hombre en camisa lee el periódico
o plancha una mujer; el cuarto claro
que visitan las ramas del durazno;
el otro cuarto: afuera siempre llueve
y hay un patio y tres niños oxidados;
cuartos que son navíos que se mecen
en un golfo de luz; o submarinos:
el silencio se esparce en olas verdes,
todo lo que tocamos fosforece;
mausoleos del lujo, ya roídos
los retratos, raídos los tapetes;
trampas, celdas, cavernas encantadas,
pajareras y cuartos numerados,
todos se transfiguran, todos vuelan,
cada moldura es nube, cada puerta
da al mar, al campo, al aire, cada mesa
es un festín; cerrados como conchas
el tiempo inútilmente los asedia,
no hay tiempo ya, ni muro: ¡espacio, espacio,
abre la mano, coge esta riqueza,
corta los frutos, come de la vida,
tiéndete al pie del árbol, bebe el agua!

El tiempo es un mar, los cuartos andan a la deriva y las ciudades se van a pique. El poeta recuerda una escena cotidiana, un hombre lee el periódico, una mujer plancha, tres niños oxidados juegan. Los cuartos siguen a la deriva en un golpe de luz. Todo lo que se recuerda se ilumina, pero todo está asediado por un mar de tiempo, pero ya el tiempo no existe y sólo queda el espacio y el presente para tenderse al pie de un árbol o beber el agua.

todo se transfigura y es sagrado,
es el centro del mundo cada cuarto,
es la primera noche, el primer día,
el mundo nace cuando dos se besan,
gota de luz de entrañas transparentes
el cuarto como un fruto se entreabre
o estalla como un astro taciturno
y las leyes comidas de ratones,
las rejas de los bancos y las cárceles,
las rejas de papel, las alambradas,
los timbres y las púas y los pinchos,
el sermón monocorde de las armas,
el escorpión meloso y con bonete,
el tigre con chistera, presidente
del Club Vegetariano y la Cruz Roja,
el burro pedagogo, el cocodrilo
metido a redentor, padre de pueblos,
el Jefe, el tiburón, el arquitecto
del porvenir, el cerdo uniformado,
el hijo predilecto de la Iglesia
que se lava la negra dentadura
con el agua bendita y toma clases
de inglés y democracia, las paredes
invisibles, las máscaras podridas
que dividen al hombre de los hombres,
al hombre de sí mismo, se derrumban
por un instante inmenso y vislumbramos
nuestra unidad perdida, el desamparo
que es ser hombres, la gloria que es ser hombres
y compartir el pan, el sol, la muerte,
el olvidado asombro de estar vivos;

La pasión tiene un gran poder creador porque la intensidad trasfigura y le da conciencia de si al instante; por eso, el mundo nace cuando dos se besan. El beso se compara con la transparencia: gota de luz de extraña transparencia, porque el beso es un acto generoso de abrirse a los otros y de encontrarse a si mismo. La transparencia es la ausencia de egoismo. El egoismo es la sombra que opaca al hombre, lo encierra en sí mismo, y lo apaga. El cuarto se entreabre en su transparencia iluminada y estalla como un astro.

Después en el tiempo, lo cotidiano, lo financiero que separa, encarcela, enajena y divide a los hombres: las fronteras, la tartufería religiosa, la hipocresía oficial, las convenciones sociales y las iglesias organizadas. Todo esto divide a los hombres y lo que es peor, divide y separa al hombre de sí mismo, como persona, porque lo hace olvidar su compromiso social y su solidaridad humana.

amar es combatir, si dos se besan
el mundo cambia, encarnan los deseos,
el pensamiento encarna, brotan alas
en las espaldas del esclavo, el mundo
es real y tangible, el vino es vino,
el pan vuelve a saber, el agua es agua,
amar es combatir, es abrir puertas,
dejar de ser fantasma con un número
a perpetua cadena condenado
por un amor sin rostro;

Vuelve a la pasión creadora como arma de combate para transformar el mundo, porque el amor hace encarnar los besos y las ideas, y las ideas liberan a los esclavos. El amor hace que el mundo sea existente, y el pan es pan y el vino es vino y el agua es agua. El amor tiene la tautología de la existencia del ser, estando y viviendo. Amar es abrir la puerta, amar es transparencia, es ser uno mismo, es desnudarse en entrega en la pasión y a la pasión.

el mundo cambia
si dos se miran y se reconocen,
amar es desnudarse de los nombres:
"dejame ser tu puta", son palabras
de Eloisa, mas el cedió a las leyes,
la tomo por esposa y como premio
lo castraron después;

Eloisa quiso ser su puta, pero Abelardo cedió a las leyes y a los compromisos sociales; por eso, lo castraron.

mejor el crimen,
los amantes suicidas, el incesto
de los hermanos como dos espejos
enamorados de su semejanza,
mejor comer el pan envenenado,
el adulterio en lechos de ceniza,
los amores feroces, el delirio,
su yedra ponzoñosa, el sodomita
que lleva por clavel en la solapa
un gargajo, mejor ser lapidado
en las plazas que dar vuelta a la noria
que exprime la sustancia de la vida,
cambia la eternidad en horas huecas,
los minutos en cárceles, el tiempo
en monedas de cobre y mierda abstracta;

Todo lo que exalta es bueno, porque es volver a la

inocencia original, a lo instintivo y a la pasion. El amor es libertad, el pago por vivir en la norma muerta es la castración y la impotencia. Todo lo que exalta es bueno: el crimen, el suicidio, el incesto. El incesto en el poema no es tan malo porque se compara con lo retórico del poema: las imágenes paralelas ante el espejo. El poeta ha llegado al extremo para combatir lo cotidiano y lo vulgar que anonada a los hombres. El adulterio contra el amor muerto del compromiso legal. El adulterio contra el matrimonio muerto como un lecho de cenizas. Mejor apedreado que darle vuelta a la vulgaridad cotidiana en la plaza. La noria de la vulgaridad adquiere significado metafórico porque exprime la vida, cambia la vida en horas huecas, los minutos en cárceles de tiempo, el tiempo en monedas sin valor y todo en una abstracción de mierda, mierda abstracta.

mejor la castidad, flor invisible
que se mece en los tallos del silencio,
el difícil diamante de los santos
que filtra los deseos, sacia al tiempo,
nupcias de la quietud y el movimiento,
canta la soledad en su corola,
pétalo de cristal es cada hora,
el mundo se despoja de sus máscaras
y en su centro, vibrante transparencia,
lo que llamamos Dios, el ser sin nombre,
se contempla en la nada, el ser sin rostro
emerge de sí mismo, sol de soles,
plenitud de presencias y de nombres;

La castidad es una flor invisible que se mece en los tallos del silencio. Es el díficil diamante que filtra los deseos y sacia el tiempo. La castidad es el término metaforizado y la flor y el diamante son los términos metafóricos que ilustran esta verdad. La castidad es una flor invisible que se mece en los tallos del silencio. La soledad canta en sus corolas. El difícil diamante de la santidad que filtra el deseo y sacia el tiempo. El diamante se labra pero lo que se filtra es la transparencia polifacética de la luz. Los dos términos metafóricos se entrelazan: flor y diamante, pétalo y cristal. En la transparencia de esta flor del diamante el mundo se despeja de su máscara. El ser sin nombre se contempla en la nada de la transparencia. El gran vacío de la nada que reclama la presencia de Dios. "plenitud de presencias y de nombres". Aqui Octavio Paz se despeja de imágenes personales para enfrentarse con el ser sin nombre, porque el nombre es una imagen sonora del sol que canta y se mece en los tallos del silencio. Canta la soledad en sus corolas, en su centro de vibrante transparencia. La transparencia es la mística de Octavio Paz.

sigo mi desvarío, cuartos, calles
camino a tientas por los corredores
del tiempo y subo y bajo sus peldaños
y sus paredes palpo y no me muevo,
vuelvo adonde empecé, busco, tu rostro,
camino por las calles de mí mismo
bajo un sol sin edad, y tu a mi lado
caminas como un árbol, como un río
caminas y me hablas como un río,
creces como una espina entre mis manos,
lates como una ardilla entre mis manos,
vuelas como mil pájaros, tu risa
me ha cubierto de espumas, tu cabeza

es un astro pequeño entre mis manos,
el mundo reverdece si sonríes
comiendo una naranja,

El poeta vuelve a caminar por las calles de sí mismo. La mujer camina como un árbol estático, con un movimiento interno de savia y estaciones cambiantes. Crece, late y vuela en símil de espejo, pájaro y ardilla. La estrófa termina con simplicidad taoísta: "el mundo reverdece si sonríes comiendo una naranja".

el mundo cambia
si dos, vertiginosos y enlazados,
caen sobre la yerba: el cielo baja,
los árboles ascienden, el espacio
sólo es luz y silencio, sólo espacio
abierto para el águila del ojo,
pasa la blanca tribu de las nubes,
rompe amarras el cuerpo, zarpa el alma,
perdemos nuestros nombres y flotamos
a la deriva entre el azul y el verde,
tiempo total donde no pasa nada
sino su propio transcurrir dichoso,

El tema del poder transformante del amor se reafirma. La pasión hace bajar el cielo a los hombres, crecen los árboles, el espíritu desencarna y el tiempo y el espacio son transparentes y generosos.

no pasa nada, callas, parpadeas
(silencio: cruzó un angel este instante
grande como la vida de cien soles),
¿no pasa nada, solo un parpadeo?
—y el festín, el destierro, el primer crímen,
la quijada del asno, el ruido opaco

y la mirada incrédula del muerto
al caer en el llano ceniciento,
Agamenón y su mugido inmenso
y el repetido grito de Casandra
más fuerte que los gritos de las olas,
Sócrates en cadenas (el sol nace,
morir es despertar: "Critón, un gallo
a Esculapio, ya sano de la vida"),
el chacal que diserta entre las ruinas
de Nínive, la sombra que vió Bruto
antes de la batalla, Moctezuma
en el lecho de espinas de su insomnio,
el viaje en la carreta hacia la muerte
— el viaje interminable mas contado
por Robespierre minuto tras minuto,
la mandíbula rota entre las manos—,
Churruca en su barrica como un trono
escarlata, los pasos ya contados
de Lincoln al salir hacia el teatro,
el estertor de Trotski y sus quejidos
de jabalí, Madero, y su mirada
que nadie contestó: ¿por que me matan?
los carajos, los ayes, los silencios
del criminal, el santo, el pobre diablo,
cementerios de frases y de anécdotas
que los perros retóricos escarban,
el delirio, el relincho, el ruido oscuro
que hacemos al morir y ese jadeo
de la vida que nace y el sonido
de huesos machacados en la riña
y la boca de espuma del profeta
y su grito y el grito del verdugo
y el grito de la victima...

Por el instante temporal pasa un enorme angel espacial, tan grande, poderoso e intenso, como cien soles, reguladores del tiempo planetario. En este instante caben todos los grandes muertos de la historia y sus expresiones póstumas.

son llamas
los ojos y son llamas lo que miran,
llama la oreja y el sonido llama,
brasa los labios y tizón la lengua,
el tacto y lo que toca, el pensamiento
y lo pensado, llama el que lo piensa,
todo se quema, el universo es llama,
arde la misma nada que no es nada
sino un pensar en llamas, al fin humo:
no hay verdugo ni victima...

Todo es llama y se desvanece. Todo es llama, el que mira y es llama el mirado. Es llama lo que se sueña y es llama lo que se oye, el pensamiento y lo pensado.

¿y el grito
en la tarde del viernes?, y el silencio
que se cubre de signos, el silencio
que dice sin decir. ¿no dice nada?
no son nada los gritos de los hombres?
¿no pasa nada cuando pasa el tiempo?
—no pasa nada, solo un parpadeo
del sol, un movimiento apenas, nada,
no hay redención, no vuelve atrás el tiempo,
los muertos están fijos en su muerte
y no pueden morirse de otra muerte,
intocables, clavados en su gesto,
desde su soledad, desde su muerte

sin remedio nos miran sin mirarnos,
su muerte ya es la estatua de su vida,
un siempre estar ya nada para siempre,
cada minuto es nada para siempre,
un rey fantasma rige tus latidos
y tu gesto final, tu dura máscara
labra sobre tu rostro cambiante:
el monumento somos de una vida
ajena y no vivida, apenas nuestra,

La alusión al último grito de Cristo en la tarde del viernes que resume los grandes muertos de la historia, pero el poeta ha preferido darle un tratamiento señero. Una alusión al tiempo lineal y su angustia existencial sin el consuelo del retorno. La renuncia del tiempo circular solo es posible por la redención y la transcendencia del tiempo lineal. La renuncia del tiempo circular a secas es el terror de morirnos a cada instante y la angustia de enfrentarnos al futuro desconocido, que no se parecerá al pasado. La renuncia del tiempo circular sólo es posible por la redención y la transcendencia del tiempo lineal, que no es el caso de esta estrofa. Después lo estático y lo invariable de la muerte, muerte como consumación de la vida, como un fulgor convertido en hacha, como el cadalso para el condenado. (Me da un poco de vértigo y de náusea el ateísmo del poema. Pero es justo para un cristiano asomarse al abismo, pensando que lanzarse a él, tiene el peligro y el pecado de tentar a Dios).

—la vida, ¿cuando fué de veras nuestra?,
¿cuándo somos de veras lo que somos?,
bien mirado no somos, nunca somos

a solas sino vértigo y vacío,
muecas en el espejo, horror y vómito,
nunca la vida es nuestra, es de los otros,
la vida no es de nadie, todos somos
la vida — pan de sol para los otros,
los otros todos que nosotros somos —,
soy otro cuando soy, los actos míos
son más míos si son también de todos,
para que pueda ser he de ser otro,
salir de mí, buscarme entre los otros,
los otros que no son si yo no existo,
los otros que me dan plena existencia,
no soy, no hay yo, siempre somos nosotros,
la vida es otra, siempre allá, más lejos,
fuera de ti, de mí, siempre horizonte,
vida que nos desvive y enajena,
que nos inventa un rostro y lo desgasta,
hambre de ser, oh muerte, pan de todos,

Todos somos la vida, lo que nos diferencia es la perspectiva personal. Se introduce el tema existencial del "otro," no como persona que está delante de mí, sino como persona que me ve a mí, o los que me ven a mí, que atrapan mi imagen y que poseen una visión de mí diferente a mí y diferente a la imagen que yo tengo de mí mismo. Todos somos la vida, yo experimento mi ser visto por otro, como un objeto, pero yo no puedo ser un objeto visto por otro objeto que yo veo, yo no soy un sujeto, yo soy un objeto visto por un sujeto diferente. Nuestra vida no es nuestra, cuando nos cerramos a otros nos cerramos a nosotros mismos y nos cerramos y nos "cosificamos" en nosotros. Todo el poema esta permeado de este ideal existencial. La búsqueda y el encuentro de si mismo está en abrirse y entregarse a otros en responsabilidad personal y social. Así se adquiere una perspectiva diferente del mundo. Todos los hombres tienen hambre de ser, pero somos en los otros y somos compañeros, porque compartimos el pan común de la muerte.

Eloísa, Perséfona, María,
muestra tu rostro al fin para que vea
mi cara verdadera, la del otro,
mi cara de nosotros siempre todos,
cara de árbol y de panadero,
de chofer y de nube y de marino,
cara de sol y arroyo y Pedro y Pablo,
cara de solitario colectivo,
despiértame, ya nazco:

El poeta clama por ver el rostro de la mujer eterna, para ver en el rostro de ella su otra visión de sí mismo, pero su otra visión de sí mismo es cósmica, tiene el rostro de todos los hombres.

vida y muerte
pactan en ti, señora de la noche,
torre de claridad, reina del alba,
virgen lunar, madre del agua madre,
cuerpo del mundo, casa de la muerte,
caigo sin fin desde mi nacimiento,
caigo en mí mismo sin tocar mi fondo,
recógeme en tus ojos, junta el polvo
disperso y reconcilia mis cenizas,
ata mis huesos divididos, sopla
sobre mi ser, entiérrame en tu tierra,

tu silencio de paz al pensamiento
contra si mismo airado;

La mujer eterna es la madre cósmica, que está muy cerca del mito indio de la diosa Kaly, la diosa de la vida y de la muerte; después el poema se resuelve en una bella letanía que tiene muchos puntos comunes con la letanía mariana: torre de claridad es similar a torre de marfil, reina del alba se acerca a reina de los ángeles. El poeta pide su integración en la materia de la madre cósmica: polvos sus cenizas, flauta de viento sus huesos.

abre la mano,
señora de semillas que son días,
el día es inmortal, asciende, crece,
acaba de nacer y nunca acaba,
cada día es nacer, un nacimiento
es cada amanecer y yo amanezco,
amanecemos todos, amanece
el sol cara de sol, Juan amanece
con su cara de Juan cara de todos,

El poeta se dirige a la mujer cósmica, génesis del tiempo, pero el día es inmortal porque nace cada día. El poeta nace al amanecer del mundo, porque ya está integrado con el universo con el rostro de todos y con cara de Juan de todos.

puerta del ser, despiértame, amanece
déjame ver el rostro de este día,
déjame ver el rostro de esta noche,
todo se comunica y transfigura,
arco de sangre, puente de, latidos,
llévame al otro lado de esta noche,

adonde yo soy tú somos nosotros,
al reino de pronombres enlazados,

El poeta ha entrado en la puerta del ser y se ilumina, se transfigura, se integra en su totalidad. El poeta ha pasado a otra ribera donde todos somos uno, y se expresa con un verso saliniano: /adonde yo soy tú somos nosotros,/ al reino de pronombres enlazados.

puerta del ser: abre tu ser, despierta,
aprende a ser también, labra tu cara,
trabaja tus facciones, ten un rostro
para mirar mi rostro y que te mire
para mirar la vida hasta la muerte, rostro
de mar, de pan, de roca y fuente,
manantial que disuelve nuestros rostros
en el rostro sin nombre, el ser sin rostro,
indecible presencia de presencias...

El poeta no se dirige ya a sí mismo, porque ya está integrado y se dirige al ser, para que labre sus facciones universales y así encontrarse el rostro cósmico. La presencia del rostro, del mar, el pan y la roca, libre de características particulares, hacen posible la presencia del rostro universal.

quiero seguir, ir más allá, y no puedo:
se despeñó el instante en otro y otro,
dormí sueños de piedra que no suena
y al cabo de los años como piedras
oí cantar mi sangre encarcelada,
con un rumor de luz el mar cantaba,
una a una cedían las murallas,
todas las puertas se desmoronaban

y el sol entraba, a saco por mi frente,
despegaba mis parpados cerrados,
desprendía mi ser, de su envoltura,
me arrancaba de mí, me separaba
de mi bruto dormir siglos de piedra
y su magia de espejos revivía
un sauce de cristal, un chopo de agua,
un alto surtidor que el viento arquea,
un árbol bien plantado mas danzante,
un caminar de río que se curva,
avanza, retrocede, da un rodeo
y llega siempre:

El poeta vuelve en su última estrófa a su concepto negativo: la catástrofe del tiempo despeñado en instante. El poeta siente que vivió en un sueño sin sueño, como una estatua que soñara un sueño de piedra, que no sueña; pero de pronto, siente cantar su sangre que rompe las cadenas de su encarcelamiento en la piedra.

La revelación existencial surge al final del poema: / desprendía mi ser de su envoltura/ me arrancaba de mí, me separaba/ de mi bruto dormir siglos de piedra/ El ser se desprendía de su envoltura del yo, y entonces, descubre el ser que revive al poeta. Los hombres que no han tenido la iluminación de descubrirse a sí mismos, carecen de vida interior. La falta de vida interior es enajenación, es locura, que no es notada porque es una locura común y colectiva. El "yo" es la magia de la imagen del ser, entonces el poeta es la transparencia, la magia del ser reflejado en la persona sin la egolatria del yo. La iluminación de descubrir la intimidad, la unidad del ser libre de la envoltura de la persona. La iluminación es descubrir la unidad del ser, libre de la envoltura del individuo. Este descubrimiento es la unidad total en el ser. El individuo se despierta de su sueño insensible para encontrarse en la unidad de la persona renaciendo en la magia de esta imagen absoluta. El ser es la transparencia, es la nada total. (El ser sartriano es una falta de ser, una hendidura en la plenitud del ser; sin embargo infranqueable. Esta hendidura es el vacío de la nada, la transparencia total. La única diferencia es que la transparencia paciana es más iluminada y por lo tanto más religiosa que la nada sartriana. Esta es la magia del cristal del espectro, que revive la imagen espiritual de la nada en la mismicidad del espejo).

El poeta no ha subrayado el descubrimiento o la iluminación. En una lectura superficial del poema parece que el poema termina sin el hallazgo; pero esto es uno de los grandes aciertos del poema, que refleja la honestidad poética y estructural de Octavio Paz. Otro poeta hubiera perdido identidad existencial. El hallazgo está ahí pero en tono menor, como insinuado en una línea final para que el lector lo descubra por sí mismo. El hallazgo es la nada del ser, si el poeta hubiera sido explícito, la nada no sería nada, sino algo y la palabra hubiera traicionado el significado. "Piedra de sol" es un gran poema, porque todo está integrado. Los cuerpos en la desnudez como la transparencia en la apertura del espíritu a otros, como el yo se divide en el "otro" porque se ha logrado la unidad de todas las cosas en el instante eterno en que la imagen se ha unido al objeto en la iluminación de la transparencia.

Octavio Paz vuelve en otros libros sobre estos temas,

pero por ahora lo inefable ha encontrado la libertad en la palabra, bajo palabra.

METAFORAS Y MITO EN LAS ESTRUCTURAS SONORAS DE RUBEN DARIO

Este es un estudio de lo metafórico y lo mítico en las estructuras sonoras de Ruben Darío para celebrar Cien Años de Azul.

Por metáfora entendemos una violación de las leyes de la palabra para crear un nuevo contenido: la hija del rey Midas tiene los cabellos de oro, pero ésta transformación metafórica solo sucede en el ámbito de la palabra sin afectar el mundo de los hechos. Por mito entendemos una ruptura de las leyes de la naturaleza para crear un nuevo significado en un plano sobrenatural; cuando el rey Midas toca a su hija y la convierte en una estatua de oro, esto es una metamorfosis que sucede míticamente en el ámbito de los hechos. Lo que nos maravilla de estos poemas estudiados es la relación que existe entre lo metafórico y lo mítico en las estructuras sonoras de Ruben Darío.

Este trabajo es solo el estudio de tres poemas de Ruben Darío no hemos querido sacar conclusiones generales sobre las características de su obra ni conceptualizar sus aciertos poéticos. Esta no es una obra científica, la crítica abstracta de la poesía puede ser caballo de Troya, solo hemos querido re-establecer con humildad el oficio de rápsoda que consistía en interpretar los grandes poetas sin traicionar su significado ni provocar la ira de los Dioses.

En todo poema hay un ámbito secreto que tiene que descubrir el lector para sentir una vibración íntima esa es la co-inspiración. La conspiración entre el lector y el autor en la trama del poema. Esta trama está a veces en el salto poético de la metáfora o en la ruptura del ritmo normal del lenguaje, o en la aparición mítica, o en la experiencia mística expresada en la palabra.

SINFONIA EN GRIS MAYOR

El mar, como un vasto cristal azogado,
refleja la lámina de un cielo de zinc;
lejanas bandadas de pájaros manchan
el fondo bruñido de pálido gris.

El sol, como un vidrio redondo y opaco,
con paso de enfermo camina al cenit;
el viento marino descansa en la sombra
teniendo de almohada su negro clarín.

Las ondas, que mueven su vientre de plomo,
debajo del muelle parecen gemir.
Sentado en un cable, fumando su pipa,
está un marinero pensando en las playas
de un vago, lejano, brumoso país.

Es viejo ese lobo. Tostaron su cara

los rayos de fuego del sol del Brasil;
los recios tifones del mar de la China
le han visto bebiendo su frasco de gin.

La espuma, impregnada de yodo y salitre,
a tiempo conoce su roja nariz,
sus crespos cabellos, sus biceps de atleta
su gorra de lona, su blusa de dril.

En medio del humo que forma el tabaco,
ve el viejo el lejano, brumoso país,
a donde una tarde caliente y dorada,
tendidas las velas, partió el bergantín...

La siesta del trópico, el lobo se duerme.
Ya todo lo envuelve la gama del gris.
Parece que un suave y enorme esfumino
del curvo horizonte borrara el confín.

La siesta del trópico. La vieja cigarra
ensaya su ronca guitarra senil,
y el grillo preludia su solo monótono
en la única cuerda que está en su violín.

Ruben Darío parece que no le deja ámbito al lector para la recreación poética: las metáforas son comprensibles y el ritmo siempre se ajusta al contenido; sin embargo, Ruben se reserva el gnosticismo de la creación. La alquimia con que mezcla los diferentes elementos de la composición. A Cien Años de Azul se nos ha permitido entrar, sin contraseña de iniciado, en el de Minerva templo, a buscar su pensamiento en el emotivo secreto de su palabra orféica, en la profunda claridad de su superficie, donde la intuición poética se identifica con la palabra sin cristal ni azogue, sin bronce bruñido ni cisne duplicado en la orilla azul del agua.

En la "Sinfonía en Gris" la metáfora se integra tan íntimamente con las estructuras fónicas que apenas es imposible hacer una diferencia entre significado sonoro y contenido semántico.

Las elegancias sonoras y las elegancias lógicas se identifican tanto que el sentido se hace ritmo y el ritmo se hace contenido.

La metáfora emperatriz de los tropos, coincide con la rima y el ritmo, rey y reina del modernismo y el tiempo se hace espacio y el significado música y en perfecto equilibrio todo se identifica y el cielo se refleja en el mar.

En el primer verso del poema nos encontramos un símil: El mar como un vasto cristal", éste símil se resuelve una sinécdoque, cristal "azogado", la cosa por el material que está hecho, pero la iluminación, condición esencial de los tropos no sucede hasta el segundo verso, con el verbo "refleja", cuando se duplica el cielo en el mar.

La metáfora predominante de la estrofa es "un cielo de zinc". La palabra "zinc" es la última de la primera oración gramatical y la última del segundo grupo fónico donde se vuelve el centro sonoro del poema. La palabra "zinc" rima con gris, gris es el color temático de la sinfonía y el título del poema. El cristal azogado también es gris.

Los pájaros que casi siempre son los elementos sonoros

en una estrofa, en este poema son manchas espaciales.

Desde el primer verso, se interrelacionan metáfora semántica y rima fónica; palabra significante y rima dominante.

Inmediatamente veremos como se relaciona la estructura metafórica con la estructura sonora del ritmo, la medida y la rima.

Las palabras y las frases principales del segundo verso también insinúan la lentitud gris del poema: "La frase camina enferma y la almohada tiene una connotación de sueño y descanso; los colores son sombríos: opaco y negro".

La puntuación contribuye a la despaciosa marcha gris del poema. Desde el primer verso el doble detenimiento de las comas implica dos pausas. Además de las pausas temporales de las comas, el final del verso implica una pausa espacial. El segundo verso termina en punto y coma que es aún una pausa mayor. La oración gramatical está dividida en dos unidades sonoras: el primer verso solo trata del sujeto y el segundo verso trata del predicado. El ritmo y la medida de los versos contribuye a la larga lentitud gris del paisaje. Desde el primer verso tenemos las pausas gramaticales de las comas que explican el sujeto de la oración; pero si vamos a leer el poema rítmicamente tenemos que acoplarnos al ritmo del poema en general que insinúa una homometría interna.

La metáfora predominante de esa estrofa es "negro clarín" que es la rima dominante en el poema. "Negro clarín", más que una metáfora es una sinestesia. El poeta está oyendo con los ojos, porque el ritmo espacial está relacionado, en toda la obra de Darío, con el ritmo temporal.

En el caso del "negro clarín" nos encontramos ante lo que los sicólogos llaman "sinestesia" es decir, las asociaciones pertenecientes a registros sensoriales diferentes. Aquí se asocia una sensación visual con una sensación auditiva. La sinestesia pertenece a la sicología, y aquí no debemos extendernos sobre este problema. Sin embargo, a esta altura de nuestro análisis la sinestesia nos ayuda, como fenómeno linguístico, en cuanto relación entre dos significados. Los linguistas consideran la sinestesia como un tipo de metáfora. Para nosotros, aquí es un grado de la metáfora. En efecto, puesto que el color es inanalizable, el cambio de sentido no puede operar sobre sus caracteres intrínsecos. Unicamente, el efecto subjetivo producido por el color negro. Es indudable que el color gris y el color negro tienen una estrecha relación, desde luego subjetivo y emocional. En la alegría dinámica de la "Marcha Triunfal" Los clarines son claros:

Los clarines de pronto levantan sus sones
su canto sonoro
su cálido coro.

En la abulia de "La Sinfonía en Gris" el clarín es negro. En el alegre dinamismo de la victoria en la "Marcha Triunfal" los clarines son claros y sonoros. El negro clarín es el silencio del viento que descansa sin voz.

"Negro clarín" es una magnífica metáfora que nace de una metonimia del instrumento por la causa activa, clarín por clarinada. Y además una metáfora sinestésica porque se le atribuye a la clarinada, que sucede en el tiempo, el adjetivo negro que es una condición espacial.

La tercera estrofa del poema comienza con una metáfora perifrástica: "vientre de plomo" que circumloquia el significado de "onda", definiendo lo ya definido, para ser más lenta la morfología y la prosodia del poema.

El elemento de identidad de ésta metáfora es la curvatura del vientre y la curvatura de la onda que la deja preñada de múltiples significados. Siempre me he preguntado si el poeta es consciente de tanto equilibrio en los elementos estructurales del poema. Es posible que no, pero el poeta tiene una supra conciencia estética, resultado de la unión armónica del consciente y del incons-ciente. Es el trance desvelado de toda creación, donde arquero y objetivo se identifican en el blanco musical del poema. En este caso es el gris sinestésico, que es el instante eterno que contiene el título y que el poema lo vierte en el tiempo, en la música del espacio y en su gris sinfónico.

Uno de los aciertos de la composición es describir el paisaje, que es espacio; con un poema, que es un arte de tiempo; esto explica las transiciones sinestésicas, entonces aparece el elemento humano pero ya la prosodia está establecida; ritmo, melodía, medida, rima y puntuación. El elemento humano en este poema es un "cliché" clisé, un stereotipo. El lobo marino es una gris pincelada más en el lienzo del paisaje. En la liturgia de los colores el blanco es gris y todo es gris en lo que se refiere al marino. El humo de la pipa, la vaguedad de la lejanía, la espuma del mar, el salitre, la lona, el dril y las velas.

En la penúltima estrofa el poeta descubre su técnica, está pintando en el tiempo y, usa un término solo conocido por la gente del oficio. "Esfumino": rollito de papel estoposo que sirve para rebajar los tonos de una composición, principalmente los contornos logrados con la suavidad de la factura dando cierto aspecto de vaguedad y lejanía.

Lo más importante es que esta combinación semántica y sonora sucede en todas las estrofas en que se describe el paisaje. La metáfora dominante está siempre en relación con la rima única del poema.

cielo de zinc
negro clarín
camina al cenit (refiriéndose al sol)
parece gemir (refiriéndose a las ondas)
el curvo horizonte borrará el confín
guitarra senil y violín (refiriéndose al grillo)

Los animales que se citan en la última estrofa son insectos: cigarra y grillo, donde la naturaleza queda degradada. Los grillos son grises y las cigarras son de un verde grisáceo. La cigarra se metaforiza en guitarra senil y el grillo se metaforiza en un violín monótono y monocorde.

LA SONATINA

La princesa está triste... ¿Qué tendrá la princesa!
Los suspiros se escapan de su boca de fresa,
que ha perdido la risa, que ha perdido el color.

La princesa está pálida en su silla de oro,
está mudo el teclado de su clave sonoro,
y en un vaso, olvidada, se desmaya una flor.

El jardín puebla el triunfo de los pavos reales,
Parlanchina, la dueña dice cosas banales,
y vestido de rojo piruetea el bufón.
La princesa no ríe, la princesa no siente;
la princesa persigue por el cielo de Oriente
la libélula vaga de una vaga ilusión.

¿Piensa acaso en el príncipe de Golconda o de China,
o en el que ha detenido su carroza argentina
para ver de sus ojos la dulzura de luz,
o en el rey de las Islas de las Rosas fragantes,
o en el que es soberano de los claros diamantes,
o en el dueño orgulloso de las perlas de Ormuz?

¡Ay!, la pobre princesa de la boca de rosa
quiere ser golondrina, quiere ser mariposa,
tener alas ligeras, bajo el cielo volar;
ir al sol por la escala luminosa de un rayo,
saludar a los lirios con los versos de Mayo,
o perderse en el viento sobre el trueno del mar.

Ya no quiere el palacio, ni la rueca de plata,
ni el halcón encantado, ni el bufón escarlata,
ni los cisnes unánimes en el largo de azur.
Y están tristes las flores por la flor de la corte,
los jazmines de Oriente, los nelumbos del Norte,
de Occidente las dalias y las rosas del Sur.

¡Pobrecita princesa de los ojos azules!
Está presa en sus oros, está presa en sus tules,
en la jaula de mármol del palacio real;
el palacio soberbio que vigilan los guardas,
que custodian cien negros con sus cien alabardas,
un lebrel que no duerme y un dragón colosal.

¡Oh, quien fuera hipsipila que dejó la crisálida!
(La princesa está triste. La princesa está pálida)
¡Oh visión adorada de oro, rosa y marfíl!
¡Quién volara a la tierra donde un príncipe existe
(La princesa está pálida. La princesa está triste)
más brillante que el alba, más hermosa que Abril!

"Calla, calla, princesa -dice el hada madrina
en caballo con alas, hacia acá se encamina,
en el cinto la espada y en la mano el azor,
el felíz caballero que te adora sin verte,
y que llega de lejos, vencedor de la Muerte,
a encenderte los labios con su beso de amor".

La Sonatina contiene uno de los versos más armoniosos de la lengua castellana. Nunca las palabras atraparon mejor la música para darnos significado humano y estético.

La metáfora epítome de la primera estrofa es: "En un vaso olvidada se desmaya una flor".

Esta metáfora contiene todas las tristezas, todas las incertidumbres y todas las ilusiones de un romanticismo adolescente. En la estrofa hay otras metáforas comunes como: "Boca de Fresa" pero su uso ha suavizado la impropiedad; por lo tanto, el arco metafórico del elemento de identidad es mínimo y la sorpresa es apenas perceptible.

Toda la oración que contiene esta metáfora dice así:

Los suspiros se escapan de su boca de fresa,
que ha perdido la risa, que ha perdido el color.

La pérdida del color de la princesa es una condición del desmayo de la flor tropológica. La metáfora semántica está perfectamente encajada en la estructura sonora. La rima es semántica y la metáfora es sonora y en agudo.

Lo mismo sucede en el final de la segunda estrofa. La Libélula vaga de una vaga ilusión. La libélula está exaltada en esta estrofa a metáfora epítome. Esta metáfora es distante pero la repetición vaga le dá el elemento de identidad comparativo a la metáfora. Todo es trivial en ésta estrofa: la dueña dice cosas banales, triunfa la vanidad del pavo real y el bufón piruetea.

El llamar al caballito del diablo por su nombre científico, le da cierto distanciamiento al lenguaje del poema además de aprovechar las condiciones eufónicas de la palabra.

El vuelo de la libélula se caracteriza por su impresición y por su indesición; ésta imprecisión aérea del caballito del diablo rima semánticamente con la vaga ilusión de la princesa; volviendo a la rima sonora, la ilusión de la princesa es tan imprecisa, como la pirueta del bufón.

El querer de la princesa no llega a ser una metáfora volitiva. La metáfora volitiva es la expresión de la intuición volitiva que va a la existencia de las cosas. En la intuición volitiva el yo se afirma a sí mismo, se crea a sí mismo, como voluntad para realizarse, para hacerse en la acción de algo querido y deseado. En el querer de la princesa no hay una voluntad de querer ni de realizarse en la acción. Los deseos de la princesa son meros deseos pasivos que no se realizan en los hechos ni tampoco en la palabra. Lo mismo sucede con los deseos de evasión. La tristeza de la princesa nace de la falta de voluntad para enfrentarse con su realidad aunque ésta sea una realidad decadente. La metáfora final y fundamental está estrechamente relacionada con la rima y el ritmo de la línea final: "O perderse sobre el trueno del mar".

Entonces se nos habla de las ilusiones libélulas de la princesa. Es tanto el esoterismo finesecular que con evocaciones históricas se crea un mundo irreal.

En el siglo diecinueve eran fabulosas las riquezas de los emperadores chinos. El soberano de los claros diamantes muy bien puede ser el príncipe de Golconda porque esta ciudad era famosa por sus claros diamantes y, Ormuz es como un suspenso persa de las mil y una noches.

El poema tiene al principio una estructura sonora y metafórica y apenas existen elementos míticos. La metáfora sucede siempre en el ámbito de la palabra, nace de una impertinencia, de las leyes de la palabra. El mito es una ruptura de las leyes de la naturaleza, los cabellos de oro, o la frente de nácar solo sucede en el ámbito de la palabra cuando el rey Midas toca a su hija y la convierte en una estatua de oro es un mito porque rompe las leyes de la naturaleza.

En el último verso de la sexta estrofa aparece un elemento mítico: un lebrel que no duerme y un dragón colosal. El lebrel que no duerme puede ser una hipérbole de un perro vigilante, pero el dragón colosal es un animal mítico.

En la última estrofa ya nos encontramos en lo mítico indudable, en lo feérico, en el ámbito de los cuentos de hadas.

El hada madrina que tiene la virtud de violar las leyes de la naturaleza y convertir las calabazas en carrozas, es la que toma el registro del habla y nos dice de un caballero que se encamina hacia la princesa y, que llega vencedor de la muerte. Esta es la ruptura máxima de las leyes de la naturaleza, el caballero ha vencido la muerte, con un milagro mágico y, entonces viene a encender los labios de la princesa con una metáfora sonora en el agudo final del poema.

LO FATAL

Dichoso el árbol que es apenas sensitivo
y más la piedra dura, porque ésa ya no siente,
pues no hay dolor más grande que el dolor de ser vivo,
ni mayor pesadumbre que la vida consciente.

Ser, y no saber nada, y ser sin rumbo cierto,
y el temor de haber sido y un futuro terror...
y el espanto seguro de estar mañana muerto,
y sufrir por la vida y por la sombra y por

lo que no conocemos y apenas sospechamos,
y la carne que tienta con sus frescos racimos,
y la tumba que aguarda con sus fúnebres ramos,
¡y no saber adónde vamos,
ni de dónde venimos...!

Lo primero que llama la atención en éste poema es su lentitud declamatoria. Darío lleva la declamación a su más alta cumbre, a la altura delirante del éxtasis báquico; delirante por la lira poética y delirante por penetrar con la intuición en lo más profundo del hombre donde lo místico se entrega como un don de Dios; sin embargo, no negamos la razón que es un progreso del hombre, pero cuanto esto sucede lo que se gana en pensamiento consciente se pierde en delirio subconsciente, pero la poesía sigue siendo la madre de todas las cosas y no niega la razón porque la filosofía nació en un poema, en el poema del "Ser" de Parménides lo que sucede a la poesía es que el poeta sin perder la razón se le entrega a la intuición para penetrar el misterio que está más allá de la razón.

Lo que sucede con la poesía es lo mismo que sucede con el teatro, hijo primogénito de la poesía, el teatro y la poesía respetan el ritmo lento del género filosófico. Por ejemplo, el teatro de Pirandelo debe decirse lentamente. Lo mismo sucede con la declamación de éste poema; Darío ayuda a la declamación hasta el máximo donde el contenido se hace palabra y la palabra música o, para decirlo más linguísticamente el significado se hace significado, el significado voz, la voz palabra y la palabra música.

El primer grupo gramatical del poema: "Dichoso el

árbol que es apenas sensitivo" el grupo gramatical coincide con el grupo fónico. Este verso termina con una coma, además de la pausa espacial del final del verso que siempre implica un detenimiento, tenemos la pausa espacial de una coma, además el próximo verbo empieza con una conjunción aparentemente innecesaria. Todos sabemos que las comas tienen la función de separar elementos análogos y, al final, la coma se substituye por una conjunción.

En este caso, la coma unida a la rima que señala el final del verso y la conjunción hace mucho más lento el ritmo del poema.

Lo que sucede con los versos del poema es que están compuestos en hemistiquios con una cisura en el medio para hacer más lento aún el curso del poema.- La sangre india de Rubén le había enseñado, que el tiempo se siente cuando se detiene.- Sin embargo, en el primer verso se rompe la medida, para continuar el resto del poema en perfectos alejandrinos de siete y siete.

La rima de la primera estrofa son rimas en que el significante está unido al sonido: siente y consciente.

Consciente.- Que siente, piensa y quiere y, obra con cabal conocimiento. Elemento racional de la personalidad que controla y reprime los impulsos inconscientes, para desarrollar la capacidad de adaptación al mundo exterior. Este rimado paralelo: siente y consciente necesita una pausa para identificar los significados. Esta rima arrastra semánticamente las otras dos rimas de la estrofa: vivo y sensitivo. En la segunda estrofa aumenta la lentitud rítmica. Los elementos análogos están separados por una coma como señalan las leyes de la puntuación. En ésta estrofa se usa la coma y se sobreabunda con la conjunción además de tener la lenta cisura de los hemistiquios; además, el polisíndenton repite y multiplica las conjunciones, contribuyendo a destacar mejor las ideas y comunicando al estilo sonoridad y énfasis.

Los versos en infinitivo aumentan la lentitud de los versos como si el poema estuviera construído con bloques abstractos. Los verbos infinitivos no son verbos, porque no contienen el dinamismo de la acción. Los verbos solo tienen vida cuando se conjugan en la vida de los pronombres. En el cuarto verso de la segunda estrofa, hay un encabalgamiento, en que lo esencial se convierte en vivencia; lo conceptual de lo filosófico se convierte en experiencia viva.

La vivencia de los tropos y las rimas existenciales de la estrofa final son patéticas; fúnebres ramos, vamos y sospechamos. El tema del poema es lo fatal irremediable, la angustia del agnosticismo. No, no estamos de acuerdo con la angustia del poema pero démosle gracias al poeta por darle expresión a la angustia porque los poetas, como Cristo, sufren sus tragedias en sí mismos y, la sufren por nosotros, para darle expresión a la angustia que es una manera de superarla.

No, los cristianos no podemos tener angustia porque tenemos la fé. Si tenemos alguna angustia es angustia de cruz y la resurrección, pero démosle gracias al poeta porque nos ha hecho más profundos en nuestra fé, y fé es lo que queda después de la duda.

REALISMO E IRREALISMO EN LOS TROPOS DEL TROPICO

El Realismo mágico es una visión despectiva de América desde Francia. El Realismo metafórico es una visión de América desde sí misma. El Realismo mágico es una explicación del hombre americano en una etapa mágica donde la imaginación predomina sobre la razón.

En este estado las fuerzas animistas y mágicas violan constantemente las leyes científicas de la naturaleza: en Cien años de Soledad, cuando los gitanos vuelan en una alfombra mágica, Buendía advierte que él un día volará científicamente. En Paradiso[1] de Lezama Lima sucede todo lo contrario: lo que se viola en Paradiso son las leyes de la palabra; por eso, Paradiso es de un realismo y un irrealismo metafórico. La magia es otra cosa, es una violación fáctica, porque es un quebrantamiento de las leyes de la naturaleza. La metáfora por el contrario, es una violación de las leyes de la lengua a través de la impropiedad que se convierte en metáfora[2]. Los cabellos de oro sólo existen en el ámbito de la palabra. Si los cabellos de oro fueran verdaderamente de oro, esto sería mito de Midas, fábula, alquimia, es decir magia. Cuba es un país metafórico. Confundir las violaciones del mundo de los hechos es un pecado extranjero. Paradiso es una visión de Cuba desde una perspectiva cubana. La metáfora es una destrucción de la palabra para crear una nueva realidad en la palabra. Basados en eso nos proponemos llevar a cabo este estudio de la estructura metafórica de Paradiso.

Las metáforas de la obra se clasifican en tres clases: metáforas tradicionales, metáforas que no tienen significado y los párrafos herméticos.

Las metáforas tradicionales. Gran parte de las metáforas tradicionales son netamente cubanas, tanto en el elemento metaforizado como en el elemento metafórico. Muchas veces la metáfora se retuerce en un chiste como lo hace el pueblo cubano y también el español. Analicemos algunos de estos ejemplos: "Día aladinesco"[3]. Se refiere a la lámpara mágica de Aladino, porque ese día la abuela, como un genio hacía una natilla para satisfacer los deseos reposteriles de toda la familia. "Quemarle los bigotes al Mont Blanck"[4], se refiere al procedimiento de quemar con una plancha hirviendo, al merengue que se pone sobre la natilla. "Sopor de cocodrilo"[5]. Esta metáfora tiene un gran valor descriptivo, porque este ofidio tropical caza de noche y duerme de día. El valor descriptivo de esta metáfora se complementa con esta otra: "El caimán de un bostezo"[6]. El caimán duerme de día con la boca abierta, porque en la ciénaga hay un pajarito que se llama palillo de diente, que se alimenta de los residuos de comida que hay entre los dientes del caimán. El caimán nunca le hace daño a este pequeño animal que le hace tan buen servicio dental.

"Michelena decía que el azúcar dependía del frío que sintiera la cordillera de la luna"[7]. Este es un símil que se resuelve en metáfora, donde el autor demuestra el profundo conocimiento que tiene del cultivo de la caña de azúcar: Cuando la luna de enero pasa por los cañaverales aumenta el contenido de sacarosa de las cañas, lo que se llama en Cuba cañas de frío. "El colibrí señor del terrón que pasa del éxtasis a la muerte"[8] El colibrí se alimenta, como las abejas, del polen de las plantas, en su brevedad se parece a las mariposas efímeras. Su intenso vuelo estático es un éxtasis de muerte, también su vuelo estático lo hace una presa fácil. "El faisán rendido en pedazos" [9], es como Oppiano Licario llama al picadillo, porque este personaje explica que la metáfora es "una transmutación imaginativa para saltar lo vulgar" [10]. Las metáforas como un silogismo de sobresalto. La función de la metáfora tradicional es iluminar al lector. Aún en las metáforas más difíciles cuando el lector se encuentra con una impropiedad, se confunde, se llena de sombras y se pierde; sin embargo, cuando descubre el nuevo significado se ilumina y entiende mejor el mensaje. Pero no sucede así en esta novela; hay metáforas que son silogismo de confusión o como las llama Oppiano Licario: "silogismo de sobresalto", porque el autor las usa para confundir al lector confiado. Oppiano Licario las explica de esta manera: "provocar dialécticamente una iluminación que encegueciese por un efecto de confianza".

Los párrafos herméticos. En los párrafos herméticos se le quita a las palabras la propiedad de su significado, entonces las palabras vacías adquieren una alegre agilidad, estos párrafos tratan de crear un lenguaje ideal, esotericamente económicos en que cada palabra puede entrar en combinación con todas las palabras del idioma, produciendo un lenguaje poético que está muy lejos de la conversación cotidiana, porque ésta está sometida a las leyes de la propiedad. Lo que trata de hacer Lezama Lima es imposible, la metáfora es una técnica de destrucción del lenguaje a través de la impropiedad, pero el puente de la metáfora al crear un nuevo significado está a su vez lleno de múltiples matices interpretativos. No se puede vaciar a las palabras de su contenido para, con palabras vacías, crear un nuevo idioma. En un lenguaje sin significado la metáfora pierde su virtud porque la metáfora es el enriquecimiento múltiple, nacido de la síntesis de dos significados previos. La función de la metáfora es partir de un significado para llegar al más allá de un nuevo significado.

Lezama Lima quiere crear un lenguaje que sea naturaleza misma; por eso, traiciona la esencia misma de la palabra que es imagen de la naturaleza y de las cosas, imágen sonora o escrita de algo. La índole de la palabra es ser imagen. Las palabras siempre son significantes de un significado; por lo tanto, cuando se le quita el significado a las palabras para producir una agrupación ideal, se está creando un idioma donde el significante es el significado mismo. Esto es imposible, pero el arte es libertad y comunicación, aunque se frustre en el intento mismo de transmitir su creación, que es su virtualidad.

Tenemos que precisar más, estas violaciones y estos atentados han ocurrido en el ámbito de la palabra, han sido contravenciones netamente linguísticas; ni por un solo momento han ocurrido en el mundo de la naturaleza, en el mundo de los hechos, pues si hubiera sucedido en el mundo de la realidad natural, hubiera sido magia, realismo mágico. Lezama Lima percibe las palabras en relación con su significado, pero a pesar de su ámbito creativo las palabras pierden su contenido, su significado original; las palabras adquieren entonces una libérrima actividad voluntaria con fuerza propia y suficiente para causar los fenómenos sicológicos vitales. Este es el espacio gnóstico. El poeta, en esta novela, es como un demiurgo, como un semidios intermedio entre lo sobrenatural y lo natural que relaciona lo eterno con lo temporal, lo finito con lo infinito, lo tangible con lo intangible; esta es, en esta perspectiva, la función de la palabra poética: La modelación y la modulación de la vibración cuantitativa para producir la comunicación de lo divino y lo humano; por eso ha borrado el significado a las palabras para producir la agrupación múltiple ideal. Lezama Lima pretende que la evaporación del significado levante la palabra de lo temporal a lo eterno, pero también puede ser a la inversa: de lo temporal al vacio de una tonta beatitud. Aquí hemos entrado en la mística de Lezama, que para explicarla mejor, tenemos que conjugarla con los otros elementos de su obra, integrarlo en su visión poética. La poesía ha sido siempre un medio para expresar una vivencia mística. En esta obra nos encontramos con una variación fundamental. La técnica y el ejercicio poético para Lezama Lima son místicos, y la mística en sí mismo. Esta es la herejía de la novela, la Torre de Babel y su paraíso perdido. La poesía metafórica es el instrumento idóneo para descubrir y describir la vivencia mística. La definición tiene muy poco que hacer en este ámbito porque la vivencia mística está viva y toda definición mata y condena la vida y la saca fuera del tiempo, Dios es un Dios de vivos, como dicen las escrituras. La poesía es el instrumento idóneo para penetrar el claroscuro del misterio y retornar con una metáfora o con una estructura metafórica que ilumine el escalofrío del misterio poético; todo lo venerable se apaga y se degenera si se le pone en un plano superior: si a la virgen se le trata como a una diosa, se le rebaja a la categoría de fetiche animista; lo mismo sucede con la poesía: cuando es imagen de un misterio es ámbito sagrado, pero cuando se convierte en diosa es una perra idólatra.

En la novela hay metáforas religiosas que captan una intuición mística y la expresan en una metáfora. Estos tropos se ajustan a las características de la preceptiva metafórica tradicional. Hemos preferido estudiarlas y ejemplificarlas en lo religioso en la novela.

La Perspectiva. La obra más que una novela es una autobiografía contada en tercera persona. El autor establece una comunicación con el pasado para descubrirse a sí mismo retrospectivamente, pero más que una autobiografía parece una historia familiar tomada de los diálogos familiares, que el autor ha venido escuchando desde su niñez, esto hace posible que el autor copie hasta el estilo familiar narrativo. La memoria contemplativa del autor facilita muchísimo su visión de la realidad poética. El autor sintió la necesidad de transformar sus experiencias vitales en un mundo poético. Su mundo histórico y su mundo poético no eran realidades diferentes. Su acierto creativo fue extraer lo poético de lo trivial. Lo que más continuidad argumental le da a la obra es su dualidad persona-personaje.

Lezama Lima vivió iluminado y fascinado por el mundo que lo rodeaba y que él transformó en su obra y esa fue su perspectiva y su realidad. La verdad poética es otra cosa, es como la luz de la metáfora transforma la realidad en su perspectiva, es como la realidad de conocer y ser conocido trasfigurada en la palabra.

Creación de los Personajes. Cemí es el personaje que quiso crear Lezama Lima: el único inconveniente era que el personaje existía en la persona del autor. De todas maneras el autor inventa el personaje para idealizarse y definirse. La novela es una búsqueda, un encuentro y una explicación de sí mismo. No sólo en presente y en pasado, sino también en el futuro del autor en la persona de Oppiano Licario. El autor estudia las enfermedades del niño, lo mismo hace con su temperamento imaginativo, después investiga la razón de ser su persona en la herencia cultural y espiritual de sus padres y sus abuelos. La búsqueda de sí mismo se hace con la técnica de recrear el pasado con las reminiscencias y el recuerdo. De la niñez del personaje se pasa a la adolescencia, y de ahí a la vida universitaria. En un momento de la novela parece que tanta tradición familiar se frustra en un joven asmático con amigos homosexuales. La novela naufraga en un mar de palabras, como si la palabra se independizara de los hechos y la ficción de la biografía. Esta es la única salida sicológica que tiene el autor. El personaje se libera de la persona y adquiere vida independiente en el ámbito de la ficción. ¿No será esta enajenación la falta de identidad de los homosexuales y el planteamiento de su angustia en un mundo en el que hasta las palabras han perdido su significado?

Foción y Fronesis son personajes creados por el autor, es decir que no tuvieron existencia propia. Fronesis representa simbólicamente la amistad platónica y Foción la homosexualidad como esclavitud del cuerpo. Ni Fronesis ni Foción parecen personajes reales. Los antecedentes familiares de Fronesis son fabricados. Los antecedentes familiares de Foción son inventados, tienen más justificación porque la locura le da más realidad a la tragedia. Es posible que Foción y Fronesis sean la proyección conflictiva íntima de Cemí. El ángel de luz y el ángel de sombras. Lo cierto es que cuando Cemí tiene el encuentro consigo mismo, estos personajes desaparecen de la novela. Oppiano Licario es siempre un personaje de ficción, pero con realidad estructural, hay momentos que este personaje es una imagen duplicada de Cemí: hasta su estado civil y las características familiares son las mismas. Oppiano Licario es el personaje que más dominio tiene de la técnica que pasa decantada al protagonista. La espiral creativa de Oppiano Licario pasa a la espiral de Cemí, y se constituye una sola fuerza creativa. Es posible que Cemí sea el verdadero creador de la novela y del autor en el ámbito de la palabra. La muerte de Opiano Licario le da al autor la oportunidad de narrar su futuro. Si el autor hubiera narrado la muerte de Cemí la bionovela hubiera perdido veracidad y el contacto necesario e imaginativo que la ficción necesita con el tiempo, que es lo mismo que decir la relación que la palabra tiene con la realidad. Este es el recurso creativo que usa el autor para narrar el futuro de la obra y explicar su técnica metafórica. Desde luego, que Oppiano Licario es el personaje que más dominio tiene de la transformación de la realidad a través de la metáfora; pero además es un personaje esotérico que oportuna e inesperadamente aparece en los momentos claves de la novela. Es el personaje que más dominio tiene de los párrafos herméticos, donde la metáfora deja de ser imagen y se convierte en naturaleza y en objeto mismo. Como si el significante se transformara en significado, como si el personaje se transformara en persona sin necesidad de tiempo y espacio creativo.

Lo mismo que ha sucedido con la palabra.

Los personajes históricos. El padre es un personaje de gran fuerza expansiva; está creado con el recuerdo para salvarlo del olvido, es una vida trunca que se transforma en una fuerza que alienta la familia con su presencia espiritual. La fuerza expansiva del Coronel es tan grande que sigue viviendo como si las raíces de la muerte alimentaran la vida. La presencia del Coronel es tan importante en la obra, que en esta novela se puede repetir las frase temática de Marcel: "Los muertos viajan con nosotros".

La Rialta es el personaje más destacado de la obra después de Cemí. La Rialta como todos los personajes de la familia son metáforas de personas que han existido en el tiempo. La Rialta se preocupa por el futuro de la familia y se sacrifica para realizar el presente, cumpliendo así su designio espiritual. La valentía y la resignación de la Rialta para aceptar su tragedia tiene una antítesis en uno de los antepasados del protagonista: el padre del Coronel que representa la fuerza en el cultivo de las cañas de azúcar en Las Villas; y su esposa que representa la delicadeza en el cultivo del tabaco en

Pinar del Rio. El padre del Coronel amaba a su esposa con todas las fuerzas de su cuerpo y su alma. y cuando su esposa muere, posiblemente a causa de su propia fuerza vital, culpa a Dios de su tragedia y se deja morir de dolor y de soberbia. Ya cerca de su final confiesa sin humildad: "Dios no debiera haber hecho esto ni yo tampoco debiera haber hecho esto"[13]. Cuando el Coronel muere la Rialta hace todo lo contrario, acepta su dolor y entrega su vida a la misión de criar y educar heroicamente a sus hijos.

Los personajes secundarios. Lezama Lima tiene la habilidad de darle veracidad a sus personajes con rasgos rápidos, no hace caricaturas exageradas, sino perfiles sicológicos vivos y existenciales. Uno de estos personajes es Tranquilino, que es un personaje secundario que aparece brevemente en la obra lleno de una realidad misteriosa. El autor no lo describe en tercera persona, sino que la descripción es hecha por otro personaje secundario. El Capitán Viole:

Además, te he visto entrar de noche en el Monte Barreto, sin zapatos y con los pies llenos de hormigas, como si estuvieses adormecido, y acariciar a los gatos salvajes como si tuvieses para ellos una contraseña y te reconociesen. Me han contado también que en Sancti Spiritus fuiste acólito, para darle algún nombre, de un tal Rey Lulo, que se decía descendiente de reyes de Tanganyika, y que andaba llevando en sus manos un ramo de naranjo, símbolo de su linaje.[14]

La descripción del personaje sigue en este tono mistérico. La técnica y el estilo de narrar están logrados con los términos tradicionales de la brujería y de los conjuros cubanos.

Lo que más veracidad le da al personaje, es que el autor lo toma de la cantera inagotable de las leyendas negras. Cuando el autor de la novela interviene en la tercera persona del narrador civilizado, para desmentir al personaje narrador, se vuelve más fantástico y misterioso que los narradores legendarios. El autor sigue hablando de la doma increíble de los potros salvajes y de la amistad del personaje con las sabandijas del monte y de sus poros abiertos por el sol, por donde las estrellas le comunicaban una amistad secreta y misteriosa.

El tiempo, la organización de la novela por capítulos y el argumento. El tiempo. La novela es un arte de tiempo. Una novela es tan buena como su autor trabaja el tiempo. El tiempo está trabajado convencionalmente. El autor construye el pasado con el recuerdo y las reminiscencias infantiles. Esa es la intención de la novela y su arte conservar el tiempo en la trama de la novela. El autor retiene el tiempo en la descripción de los detalles de los objetos. Las cosas y las situaciones son elaboradas con artesanía de orfebre o con arte de ebanista, bien sea en la descripción del reloj de la abuela o en la descripción de un ángelus de palomas circulares. El efecto del tiempo creado se logra sentimentalmente a través de la memoria emotiva y la concentración contemplativa del autor. Es una novela ciclo: niñez, adolescencia y juventud. El autor se va al pasado inmediato o al pasado remoto, pero en ambos casos vuelve convencionalmente. El tiempo es el tiempo de la república de Cuba hasta los años treinta, después la acción continua, pero ya es más dificil encontrarle sus concomitantes históricos. El estudio de los padres y los abuelos nos dá una visión del exilio cubano durante las guerras de independencias. El simpático incidente de la vieja Mela nos da una perspectiva de la guerra de independencia en la campiña cubana.

Organización de la novela por capitulos.

Cap. I - La novela se inicia en el campamento militar de Columbia. El autor-protagonista tiene cinco años.

Cap. II - Campamento militar de Columbia. El autor tiene aproximadamente 10 años. Viaje a Jamaica y a México.

Cap. III - Pasado remoto. Historia de la familia de la madre. Tampa durante el exilio de la guerra de independencia.

Cap. IV - Historia de la familia del padre. Abuela paterna. Pinar del Río. Delicadeza. Cultivo del tabaco. Abuelo paterno. Las Villas. La fuerza. Cultivo de la caña de azúcar.

Cap. V - Retorno de las dos familias a sus casas de la calle Prado. Confluencia paterna y materna. Principio de la República.

Cap. VI - Retorno al pasado remoto. La vieja Mela. La guerra de independencia en la campiña cubana.
Bodas del Coronel y la Rialta.
Viaje a Jacksonville. La muerte del Coronel.

Cap. VII - Retorno a la casa de la calle Prado. Vida familiar. La muerte de Alberto.

Cap. VIII - La escuela. Pornografía homosexual.

Cap. IX - Fronesis y Foción. Platonismo y homosexualismo.

Cap. X - Foción y Fronesis. Homosexualismo y platonismo.

Cap. XI - Desaparición de Fronesis y Foción. Fronesis. Viaje a Las Villas. Muerte de la abuela materna. Foción. Liberación del árbol de la materia.

Cap. XII - La Multinovela.

Cap. XIII - El ómnibus. Oppiano Licario.

Cap. XIV - La transfiguración de la vida en novela. La palabra como naturaleza comienza a narrar la vida. La muerte de Oppiano Licario.

Los siete primeros capítulos están dedicados a la historia del personaje y su familia. Los capítulos 8, 9, 10 y 11 están dedicados al homosexualismo y a las relaciones entre Cemi, Foción y Fronesis.

En el capítulo XII comienza la despersonalización, la autodefinición de la teoría de la novela y la transfiguración en la palabra.

El Argumento. El argumento de la novela es la vida del personaje y su familia que coincide con los más altos valores de la familia cubana al final del siglo XIX y del siglo XX. El personaje autor nos narra en tercera persona su niñez, la vida de sus padres y sus cuatro abuelos, también estudia la idiosincracia familiar y ambiental. La muerte del padre del protagonista se interpreta como una mística desaparición para alimentar con su ausencia la realización del protagonista. La madre es la guardiana de este testimonio, ella misma es un testimonio de sacrificio y abnegación familiar para que pueda surgir el personaje en toda su potencia y posibilidades, para que se realice la transfiguración de la vida en novela. Cuando está a punto de surgir esta posibilidad la acción de la novela se frustra, y se desata en la pornografía homosexual del capítulo octavo. Después de este capítulo horrible, pervertido, decadente y enfermizo, continúa el problema homosexual, pero en un plano más discreto. Un día que el protagonista había arriesgado su vida en la famosa manifestación del 30, la madre le señala a su hijo su verdadera misión de hacer lo más difícil y de transformar la vida en novela. El personaje ya joven tiene dos amigos: Fronesis que representa la amistad platónica y Foción que representa la homosexualidad como una esclavitud de la materia. Estas relaciones se analizan y se describen hasta la saciedad: sus orígenes, sus antecedentes, sus sublimaciones y sus inclinaciones subterráneas, algunas verdaderamente perversas. El homosexualismo es también estudiado con una gran cantidad de citas, muchas de ellas distorsionadas y otras falsas. Esta parte de la obra tiene contenido argumental y se mantiene el hilo de la historia.

Fronesis le escribe unos versos a Cemí, que son un estudio poético del personaje, se los entrega y después desaparece en un viaje de vacaciones. La última vez que vemos a Foción está atado al árbol de la materia en una locura circular. La noche que muere la abuela mística, de quién Cemi ha heredado la virtud contemplativa, un rayo significante fulmina el árbol de la materia y Foción es liberado de su esclavitud circular.

El final de estos personajes es abrupto, pero está de acuerdo con su carácter simbólico por carecer de existencia vital.

En los últimos capítulos la novela se desplaza hacia una serie de narraciones que nada tienen que ver con la historia de la novela, aunque tiene la virtud de despersonalizar la obra de su historia para darle paso a su final simbólico donde el tiempo no existe. Oppiano Licario es el personaje retórico clave, que le enseña al protagonista el ritmo hesicástico y la técnica de tratar la palabra como naturaleza misma para lograr la transformación de la vida en el ámbito de la palabra. Junto al argumento de la obra que es la vida del personaje hay otro elemento de continuidad en la obra: la metáfora. La metáfora pudiera ser la lógica de la novela, pero no lo es. La función de la metáfora es iluminar, y ésto lo hay en la obra. El protagonista es una metáfora del autor. Fronesis y Foción son personajes simbólicos. La obra está llena de metáforas que aclaran las experiencias personales del autor; sin embargo en la obra hay metáforas que son silogismos de confusión,"silogismos de sobresalto", como los llama Oppiano Licario, porque cuando el autor se ilumina con la claridad de la metáfora se siente seguro y,entonces, el autor trata de confundirlo. Es más, a veces la palabra en que se basa la metáfora, no es imagen de una realidad, sino que quiere ser naturaleza misma, es decir significante sin significado; por eso la obra que, a veces, es de un gran realismo metafórico, otras veces es un irrealismo metafórico. Lezama Lima a veces desciende a los subterráneos más profundos del alma y regresa con una metáfora luminosa, en la cual, expone con gran claridad sus vivencias más oscuras sin congelarlas ni asesinarlas en una definición.

Los diálogos de Cemí con su madre y su abuela son profundos y bellos, llenos de sabiduría contemplativa y sus metáforas tienen la virtud de captar vivencias religiosas e intuiciones místicas.

Ortega y Gaset[15] en su estudio sobre Góngora cita al antropológo alemán Edwar Daqué que nos dice que los Cíclopes eran unos gigantes de un solo ojo, pero este ojo impar no era para ver las cosas cotidianas y normales, sino que este ojo único tenía la virtud intuitiva de penetrar lo misterioso y oculto. Por eso, nos dice Ortega que Góngora es a veces Cíclope y a veces tuerto.

Lezama Lima es a veces Cíclope y a veces ciego. Lezama Lima como Orfeo ha bajado a los infiernos con un arpa intuitiva, pero en el retorno rompe su arpa. La metáfora es imagen de realidad física o metafísica; si se destruye esta arpa intuitiva se ha perdido el camino y no se puede salir del infierno. Cuando la metáfora es imagen de la realidad o de una intuición, se ha cumplido en la novela el deseo temático de la Rialta, de transfigurar la vida en Paradiso.

Etica en la novela Para analizar una obra de arte hay que hacerlo con los instrumentos estéticos idóneos: objetivos y subjetivos. Además hay que tener sensibilidad poética y conocimientos sicológicos. No está probado ni comprobado que el autor quiso crear solamente un mundo de valores estéticos. Sí quiso recrear su propia humanidad con el arte de un lenguaje poético que fuera naturaleza misma. Quiso describir idealmente todos los personajes que le rodeaban. Por eso la perspectiva estética trasciende el hombre integral. El intérprete verdadero no queda satisfecho sólo con la comprensión de los valores estéticos de una obra. El autor debe transmitir en su conjunto los ideales universales en toda obra que merezca admiración cósmica. Esto no es una tentativa de someter los valores estéticos a los valores morales; pero en conclusión, es mucho más comprensivo trabajar en conjunto con todos los valores de hombre integral, para que los valores estéticos se destaquen mejor; sino se degradaría al autor a un creador de lindezas estéticas que negaría su propia filosofía y la indole de la novela. En los primeros capítulos, la obra está basada en los más altos valores de la familia cubana al final del siglo XIX y a principios del siglo XX. Se destaca la hidalguía expansiva del padre, nacida de la virtud de su fuerza interior; la devoción vestal de la madre y la sabiduría contemplativa de la abuela. El capítulo 8 de la novela se precipita en una torpe y exagerada pornografía homosexual con hipérboles aberrantes. La pregunta que nos hacemos. ¿Realmente eran los cubanos así? Queremos pensar que Cuba era la del Coronel y la Rialta, que se las ha tragado la historia de un naufragio. En el capítulo 8 más que homosexualismo hay perversión, en el estilo del autor y en los incidentes de los personajes. La realidad objetiva queda degradada por metáforas; y la hipérbole con la intención de producir un chiste de mal gusto, pervierte la realidad subjetiva. Cualquier lector crítico que tenga los más mínimos conocimientos de sicología y anatomía, se da cuenta que estas descripciones físicas y que estas situaciones no pueden ser posibles. La única excusa que tiene este capítulo, es que este tipo de retórica pervertida existía en la maledicencia popular. La obra no defiende el homosexualismo, desde los primeros capítulos el tio Alberto tiene problemas con un grupo de homosexuales. Ni Cemí ni Fronesis practican el homosexualismo, entre ambos exitía una amistad platónica. Foción si es homosexual y estaba esclavizado al árbol de la materia.

No podemos detenernos en las múltiples citas de la obra, algunas inexactas, otras completamente falsas y distorsionadas. Un personaje alega que San Agustín dice, que el homosexualismo es el peor de los pecados, porque es un pecado contra la naturaleza. Otro personaje dice que Santo Tomás lo equipara a las bestias, esto es, el hombre sin espíritu esclavo de la materia. La obra condena el homosexualismo físico como una esclavitud de la materia.

Foción y Fronesis son proyecciones de la personalidad del autor. Sin embargo es muy significante que la misma noche que Augusta muere y que se desvela la mística contemplativa a Cemí, es la misma noche en que es fulminado por un rayo el árbol de la materia al que estaba atado Foción. Después de este incidente Cemí avanza hacia su sublimidad ideal. El capítulo 8 es aberrante, degradado y pervertido, pero estos personajes son objetos de burlas quevedescas. El homosexualismo es un asunto en la novela, pero no es un tema.

No es defendido, es más, es condenado como una esclavitud de la materia que es fulminada y superada.

Religión de la obra: metáforas místicas. Lezama Lima

llega a crear una mitología de la metáfora, por eso, su imaginismo sin objeto es una herejía retórica y religiosa. El autor también usa la metáfora en su función idónea de expresar lo captado en una intuición. Cuando la metáfora capta una emoción religiosa, tenemos las metáforas emocionales o metáforas místicas como las llamó Bergson. Entre las metáforas de más tradición religiosa tenemos las metáforas del Cuerpo místico, donde el significante está más contenido en el significado.

Todos los cristianos somos miembros del Cuerpo místico, cuando amamos a uno de sus miembros, en virtud de la gracia sobrenatural, amamos todo el cuerpo místico de Cristo. Esta hermandad en Cristo en el orden geográfico también la tenemos en el orden histórico: del pasado, del presente y del futuro para lograr la eternidad. En la novela tenemos ejemplos de esta metáfora sobrenatural. El Coronel amó tan intensamente a su esposa y a sus hijos que su amor trascendió a la familia lejana y sobrenatural: "Siempre vió en su familia humana su esposa y sus hijos el camino para llegar a la otra familia lejana hechizada y sobrenatural".[15A]

Metáforas de Contemplación. Para entender al protagonista hay que entender su forma de mirar al mundo, para entender al autor y su vida hay que entender su perspectiva metafórica que refleja su vida contemplativa y la del personaje. Para entender la novela hay que entender su ritmo de crecimiento contemplativo.

> *Pero, mi querido nieto Cemí, tu observas todo eso en tu madre y en mí, porque lo propio tuyo es captar ese ritmo de crecimiento para la naturaleza. Una lentitud muy*

poco frecuente, la lentitud de la naturaleza, frente a la cual tú colocas una lentitud de observación, que es también naturaleza.[16]

Los párrafos que hablan de la contemplación están llenos de sabiduría mística. Las metáforas contemplativas captan más que ese momento que separa lo eterno de lo temporal, el instante estático que separa lo fugitivo de lo permanente, estratificando en la piedra la sombra fugitiva de un pez: fósil y fugitivo, fósil vivo y piedra fugitiva.

La vista de nuestras impresiones es de una rapidez inasible, pero tu don de observación espera como en un teatro donde todo tiene que pasar, reaparecer, dejarse apreciar o mostrarse esquiva, esas impresiones que luego son ligeras larvas, pero entonces tu memoria les da substancia como el limo de los comienzos, como una piedra que recogiese la imagen de la sombra de un pez.[17]

Los muertos viajan con nosotros. Un día el padre tratando posiblemente de curar a sus hijos de sus miedos infantiles les canta en broma esta canción:

Cuando nosotros estábamos vivos
andábamos por ese camino,
y ahora que estamos muertos
andamos por este otro
Tilín, tilán.
míralo detrás de Bolán.[18]

Esta canción se volvió profética, porque su padre viajó con la familia aún después de muerto.

Un día la Rialta se une a un partido de "Jakie" que

jugaban sus hijos y forma un círculo con ellos, en este círculo familiar tiene una visión del Coronel. En la novela hay diferentes pasajes donde el Coronel no abandona a su familia ni aún después de muerto. La Rialta tiene conciencia de que la ausencia del Coronel está llena de significado y que su ausencia física vendría al rescate de su presencia espiritual.

Metáfora y Transfiguración. La novela está iluminada por la luz de la transfiguración en la vida y en la palabra. La muerte del padre está llena de significado potencial, porque su ausencia la sustituye su asistencia espiritual. El sacrificio de la madre para que sus hijos realicen la transfiguración de la vida en novela. El sacrificio del hijo de hacer lo más difícil y lograr la transfiguración, que profetizó la madre:

> *La muerte de tu padre fue un hecho profundo, sé que mis hijos y yo le daremos profundidad mientras vivamos, porque me dejó soñando que algunos de nosotros daríamos testimonio al transfigurarnos para llenar esta ausencia. También yo intenté lo más difícil, desaparecer, vivir tan sólo en el hecho potencial de la vida de mis hijos. A mi ese hecho, como te decia, de la muerte de tu padre me dejó sin respuesta, pero siempre la raíz de mi vivir, que esa sería la causa profunda de tu testimonio, de tú respuesta.*[19]

El Ritmo Hesicástico.[20] La frase que cierra la novela tiene un gran contenido temático. El ritmo hesicástico era un método de oración de los cristianos orientales que depende del uso de todas las facultades humanas, especialmente el control de la respiración y la concentración para lograr la luz increada de la transfiguración.

Es también un tipo de vida monástica basada en la oración continua, aun en cada respiración, para alcanzar la divina quietud (Hesiquio). En esta oración participa la entera humanidad del hombre: el alma, el cuerpo y la mente. Juan Climacus, uno de los principales escritores de la tradición hesicástica dijo: Recordemos a Cristo en cada respiración. San Gregorio Palamos, otro de los escritores hesicásticos dijo: El cuerpo humano santificado por los sacramentos era capaz de participar en la oración de la iglesia y entonces los ojos humanos eran capaces de ver la luz increada de la transfiguración de Cristo. La transfiguración, el aislamiento, el hermetismo y la respiración son texturas muy importantes en la estructura de la obra. Cemí capta la realidad por medio del ritmo contemplativo, las citas de la respiración son extensas y abundantes, recordemos que el autor-protagonista es asmático.

En el ambiente de sitio y de burla que se desarrolló el grupo de Lezama Lima, no se puede separar la obra de la vida del autor, había que tener una vocación heróica por la cultura. Esto hizo del grupo un círculo cerrado contra la improvisación, y la incultura y el aventurerismo intelectual, de otros grupos, estos antecedentes les hizo defender su ámbito esotérico a medida que se fueron integrando con el maestro. Cada día el grupo se hizo más impenetrable, se practicó hiperbólicamente el cultismo literario cercano a la pedantería y a la beatería, y el cultivo del lenguaje se convirtió en una clave secreta de un paraíso cerrado, que muy bien refleja la obra. El grupo de Lezama Lima no era un grupo hesicástico pero el aislamiento, la concentración, la respiración y la transfiguración le daban cierta similaridad con la orden hesicástica. La cita del ritmo hesicástico tiene un gran distanciamiento con la realidad histórica, pero esto es una de las caracterfsticas de las citas de la novela. donde muchas de ellas son distorsionadas y fraudulentas. El ritmo hesicástico sólo tiene el valor de una metáfora por la proximación e insinuación.

El Tema. El tema de la novela es la transfiguración, como había dicho la Rialta. No sólo una transfiguración metafórica de la vida en novela, porque eso sería una mera imagen de la realidad. El tema es la transfiguración en la palabra y por la palabra, que parte de una realidad y se independiza de ella. La luz de la transformación tiene la virtud de transformar la realidad de la novela, pero la realidad de la novela tiene a su vez la virtud de transformar la realidad de la vida de donde ha partido. Toda novela biográfica es una metáfora de la realidad, pero lo mismo que, les sucede a las metáforas retóricas de la obra, le sucede a la gran metáfora de la novela: lo metafórico se independiza de la metáfora, para crear una realidad más allá del ámbito de la palabra. La novela parte de una realidad personal, pero esta realidad novelística se independiza de la realidad novelada. Esto está muy bien, transformar en la palabra, la vida en novela, pero a su vez la novela se transfigura por la palabra, metáfora sobre metáfora, aunque la segunda metáfora tenga más intensidad creativa. La novela es palabra; por eso el tema es la transfiguración de la novela. La transfiguración de la palabra y por la palabra. Lo que no está bien es cuando se usan las metáforas para confundir al lector, como un"silogismo de sobresalto", o cuando se trata de vaciar las palabras de su significado para lograr la agrupación ideal en los párrafos herméticos donde la palabra es naturaleza misma y la poesía de la palabra mística en sí misma; es entonces cuando la novela se pierde y se apaga en un irrealismo metafórico; por eso, la novela se ilumina y se transfigura cuando es imagen de la vida en sus dos niveles y se llena de sombras cuando es imagen sin objeto. Cuando el imaginismo pierde el contacto con la realidad objetiva y objetal se convierte en un fantasma sin espejo, en una palabra sin significado, en metáfora sin imagen. No, el arte de la novela no puede ser un paradiso cerrado, donde un ángel perverso con una espada fálica le cierra la entrada; por eso, cuando la novela no se ilumina y se transfigura con la luz de la metáfora se apaga en un infierno sin significado y sin salida.

1) Lezama Lima José, *Paradiso*, México, Ediciones ERA, S.A., segunda edición México 1970. En las otras citas de este libro sólo se hará referencia a la página.

2) Reducción de la desviación: metáfora. (Jean Cohen, *Estructura del lenguaje poético*, Editorial Gredos, Madrid).

Toda metáfora consta de dos violaciones: primero, la impertinencia que es una violación del código de la palabra en un plano sintagmático después de la metáfora que es una violación del código de la lengua y se sitúa en un plano paradigmático. En la metáfora hay una violación linguística. En el mito hay una violación de las leyes de la naturaleza. Lo que tiene de fabuloso el mito, los cuentos de hadas, la maquinaria mágica de la épica y el realismo mágico es una violación de las leyes de la naturaleza. Eso es lo irreal de lo fantástico. En estos conceptos hay una ruptura de las leyes naturales:

los árboles andan, los caballos vuelan y los hombres se metamorfosean. En lo fabuloso del mito y la leyenda lo milagroso está en la violación de las leyes naturales: es una violación del mundo de los hechos. En la metáfora la violación es linguística. El poeta puede tener una amada que sea muy rubia y puede decirle que tiene los cabellos de oro, pero el milagro sólo sucede en las palabras; pero si el Rey Midas, el de la leyenda, le toca los cabellos a una muchacha, los cabellos realmente se tornarán en oro.

3) pág. 16
4) pág. 17
5) pág. 37
6) pág. 231
7) pág. 120
8) pág. 120
9) pág. 450
10) pág. 450
11) pág. 450
12) pág. 450
13) pág. 75
14) pág. 32
15) Ortega y Gaset José, *Obras completas*, Editorial Revista de Occidente, Madrid.
15A) pág. 161
16) pág. 392
17) pág. 392
18) pág. 155
19) pág. 244
20) La informaci6n sobre el ritmo hesicástico ha sido tomado de New Catholic Encyclopidia, prepared and edited by editorial staff, Published by Macgrow Hill, New York 1967.

EL ARTE DE MIRAR
LAS METAFORAS ESPACIALES DE
ROBERTO ESTUPIÑAN

Cuando visité el taller del escultor Estopiñán tenía una clara idea de lo que iba a escribir sobre la obra de este artista. Desde luego fuí a mirar, a ejercer el arte de mirar, que es la tarea primordial del hombre actual. Al hombre se le ha pervertido la mirada como una consecuencia del positivismo.[1] (Es muy importante que se lea esta nota al pie.) Cuando un crítico bajo la influencia del positivismo ve un cuadro o una estatua ve una serie de lineas y de colores y de balances y de matices. Esto es un error de perspectiva y percepción superado científica y filosoficamente esto es una consecuencia de la concepción positivista y racionalista de la visión que cree que uno percibe sensaciones, colores, líneas, luces etc. para despues reunirlos en formaciones mas amplias de índole conceptual. Esto es

---

[1] No se puede atribuir a una sola causa la corrupción de la mirada del hombre moderno, sin necesidad de aludir al demonismo irracional, que lo confunde todo, inclusive el sentido por donde se capta la percepción. En el aspecto intelectual podemos aludir al abstraccionismo alemán y al sensualismo filosófico inglés. El abstraccio-

un error tan grande que es un yerro. Lo que se capta son figuras, objetos en su totalidad, captados a cabalidad con la "physis" y con la "spyques." El cuerpo y el alma constituyen una unidad indivisible. Lo que realmente se ve es una estatua o un cuadro en toda su totalidad.

Un cuadro es un universo de lienzo, una estatua es un continente hasta el colmo de su contenido, hasta los límites de su espacio e incorpora el aire. El viento de la estatua no es de nadie. Una estatua incorpora el espacio que le limita. Quien le niega a la estatua el arte de la visión está ciego; a no ser que se resucite el cíclope con una luna intuitiva en la frente de su noche, pero al ojo humano no se le puede negar su visión física, ni su visión espiritual, ni su visión emotiva que los filósofos llaman mística. Los ciegos no son culpables porque dependen de sinestesia para ver, el culpable es el hombre moderno que ha renunciado a la visión desde sus ojos abstactos.

Lo que realmente se ve es una estatua, una figura, una imagen en que cada uno de los elementos espaciales sostiene a los demás. Lo que el hombre realmente percibe es una imagen total. Esta es la estructura la posición y la composición. Una estatua es una imagen

---

nismo quiere ver la realidad a través de los conceptos preconcebidos y, quiere ajustar la realidad a la prefiguración de su concepción previa. Lo que no esta preconcebido no quieren verlo.

El sensualismo capta limitadamente la realidad, a través de los sentidos solamente, dejando fuera el alma, el espíritu y la razón; por esta "sin razón" se confunden en sinestesia y comienzan a ver la realidad por el sentido incorrecto. Este es el origen esquizofrénico de esta perspectiva.

corporea. Las cosas totalmente materiales no existen. La estatua es una imagen corporea atrapada por el espíritu, la concepción de una imagen, la evolución de una forma; la intuición de ver y la intuición de realizar esta visión. La visión es también intuición. No se podrá negar que en la visión estética de Estopiñán hay un estado pre-conciencia astística pero esta visión no es pura imaginación que después se plasma en materia. La estatua de Estopiñán es la expresión de su única visión. En el estado de pre-conciencia estética Estopiñán tiene que lidear con lo real y lo irreal de su propia visión, pero cuando la visión se realiza en imagen, es la estatua. -Reconozco que me estoy metiendo como un ladrón en el santuario ajeno y sagrado del momento creativo, pero en este momento me he quitado los zapatos de crítico para atravesar el iconostacio. Reconozco también que toda persona que mira las estatuas de Estopiñán pasa por el mismo proceso. La estatua es la expresión de su visión, arte de ver. Maritain nos habla que la visión de Descartes es la visión de los ángeles. Los ángeles no ven objetos particulares sino conceptos y abstracciones. Hay que volver al objeto, o como quería Merle Pontí, hay que retornar a lo concreto. El cuerpo humano esta determinado por el espíritu. La visión espiritual no se añade a la visión sensible mediante una iluminación. El ojo humano no es una cámara fotográfica. -Es mecanisismo bárbaro, japonés o norteamericano. El ojo físico y el ojo espiritual son una misma cosa y el hombre todo y la estatua en el milagro instantaneo de la visión. Fuí a casa de Estopiñán a ejercer el arte de ver, porque es un escultor actual que supera lo moderno y restaura lo fragmentado a su imagen total. Ya había vuelto a lo concreto para olvidarse de lo sistemático. No estamos hablando de la sinécdoque de la parte por el todo. Estamos hablando de la imagen como metáfora mística como la expresión de una visión emocional. Estamos hablando de la imagen que el tiempo o la perversidad habían descuartizado. Había que partir de lo fragmentado. Cada época tiene sus tinieblas. Las tinieblas de la edad moderna es su incapacidad para ver totalidades. En el ocaso de la edad moderna Estopiñán tenía que partir de lo fragmentado para unirlo en la totalidad de su visión y, hacerlo centro de un universo que incorpora sus límites. Estamos hablando de la visión total como expresión de la imagen en que lo fragmentado y lo bábico adquiere significado a través del arte en su equilibrio estético. La cuerda era lo único que le quedaba al equilibrista para danzar. Ambos se juegan la vida en el espacio. En la limitación moderna es donde Estopiñán encuentra el equilibrio de su expresión actual. El centro del universo es donde se encuentra la estatua sin descubrimiento arqueológico ni fe tolomaíca. El hallazgo es la "escavación" del instante presente y eterno atrapado en la estatua, donde diez mil ángeles bizantinos no se posan en la punta de un alfiler. La creación es la libertad de Dios y, el arte es la libertad del hombre para romper con lo abstracto y arcáico en la creacion de la historia futura. Esa es la libertad y, esa es la esencia del arte de Estopiñán en su equilibrio espacial. Toda ley estética o científica es retardataria y limita o pervierte la mirada.

•

Lo bello a primera vista inspira respeto de iglesia, porque el arte impone la dignidad del silencio. La irreverencia de hablar en la iglesia es un vicio de religiones sin sagrario. La charla crítica es un hábito de sacristanes que hacen cotidiano lo eterno. La estatua es la contemplación de una vivencia estética y la expresión de esa contemplación es también contemplación, para el que la realiza y para el que la mira, mirar es una forma pura de realizar, porque contemplar es más que hacer. La estatua crea el espacio y realiza el milagro de la aparición.

En un momento de la conversación le dije a Estopiñán que en su obra había algo religioso. Con su acostumbrada cortesía protestó diciendo que el arte primitivo era el que tenía elementos mágicos. No quise discutir en ese momento, para discutir hay que pensar y, yo estaba allí para mirar, no para discutir. La religión es contraria a la magia, no sólo para la teología moderna sino para el cristianismo primitivo que lo consideró un artificio satánico. El hombre primitivo usa el arte como magia, para contrarestar la fuerza secreta de los dioses de la materia. (Si algo no es Estopiñán es un artista primitivo.) Ahora bien, cuando el hombre comienza sí. A medida que el hombre ha ido dominando las fuerzas secretas de la naturaleza con la ciencia y la técnica, deja de creer en la fuerzas secretas de la naturaleza y la pone fuera de sí como un objeto. Pensar y razonar es distanciarse de las cosas. Esta ganancia intelectual implica también una pérdida tremenda. El hombre había perdido su instinto para lidear con su ambiente natural y su intuición para penetrar el misterio. Esto estaba bien, porque la ganancia de la inteligencia y la razón equilibraba la perdida de la intuición y el instinto, pero la pérdida se volvió catastrófica cuando el positivismo, el racionalismo y el sensualismo pervirtió la mirada del hombre moderno. El racionalismo sólo quiso ver conceptos y perdió la naturalidad de ver. El sensualismo al acabar con todos los rasgos del pensamiento se pervirtió en sinestesias horribles.

El sensualismo considera los sentidos como el único instrumento para captar la realidad excluyendo el pensamiento y hasta el yo. Esta insuficiencia excluyente lo lleva a captar la realidad por el sentido equivocado. Un crítico ha dicho que las estatuas de Estopiñán hay que tocarlas, hay que pasarles las manos. Esto es una sinestesia. Esto es erróneo. Las estatuas de Estopiñán hay que mirarlas. Una de las perversiones del arte espacial moderno es la sinestesia de captar la sensación por un sentido incorrecto. El hombre moderno para mirar tiene que purificar su visión no solo de las perversiones intelectuales sino de las perversiones sensuales. La estatua es visión o contemplación y solo se puede captar por la mirada: con los ojos del cuerpo y con los ojos del alma al mismo tiempo. Los ojos no son instrumentos, ni espejuelos, ni anteojos. El instrumento intelectual y el instrumento sensual son perversiones de la perspectiva y de la crítica moderna: con su exclusión de síntesis y su distorsión sinestésica. Esto es el origen de la esquizofrenia del arte moderno que Estopiñán supera. La escultura es visión, lo otro es ídolo o fetiche, a no ser que se regrese al mundo de los ciegos que sí pueden contemplar con las manos. El hombre normal no debe de renunciar al sentido de la vista. Lo importante ahora es el arte de mirar, en la plenitud mistérica de la aparición de las cosas.

El hombre moderno ha perdido su capacidad de mirar y, surgió la percepción del hombre inacabado y limitado.

La función del artista actual es restaurar la capacidad de mirar, porque la función del artista espacial es enseñar al hombre a mirar, el arte de mirar sin dogmas negativos de incredulidad.

Los románticos se dieron cuenta de la pérdida de la intuición y del instinto y quisieron retornar al hombre primitivo. El fracaso fue tan grande que arrastró a toda la escuela. Al principio del siglo veinte un grupo de artistas se dieron cuenta del vacío del arte moderno y quisieron retornar al arte primitivo, pero les faltaba la pureza emocional que reclama la visión mística de superponer el tiempo pasado, sobre el tiempo presente y el tiempo futuro para crear el instante eterno. Además en el arte de esta época había tanta beatería dialéctica y tantas superticiones estéticas, que su esfuerzo de retornar a la creación original terminó en una estética gnóstica.

Picasso, el corifeo espacial del siglo veinte fue el que mas avanzó en este camino, pero había en él damasiados dogmas de incredulidad y bastantes elementos platónicos. Por la gnosis no se puede retornar al vigor instintivo del arte en sus orígenes. Fue una lástima porque Picasso de verdad tenía dominio del espacio y una gran disciplina artística. El poder del hombre primitivo estaba en la naturaleza de su mirada, con este elemento pudo vencer a los dioses y a la magia. Wilfredo Lan, tan buen artista como Picasso pero mucho más vivo, quiso retornar al Africa desde París pasando por la Habana, pero se equivoco de camino. En Cuba había una seudo-literatura de las religiones negras escritas por los blancos del Vedado. Estos estudios apócrifos se hicieron con métodos y puntos de vista positivistas. -No se puede estudiar algo con un método que lo destruya. El positivismo tiene puntos de vistas excluyentes, sobre todo de lo sobrenatural; por lo tanto, es demasiado limitado. Los estudios de los negros en Cuba son falsos y superficiales y repugnan por su perversidad pagana. Lan creyó que había encontrado el derrotero para encontrar el secreto del arte primitivo, pero esta fue la causa principal de su derrota. -Aunque los estudios de los negros en Cuba hubieran sido serios no hubieran servido para encontrar el vigor del arte original. -No se retorna a la intuición y al instinto por el intelecto. Lan fue a buscar la perspectiva del hombre inicial con los mismos elementos que habían destruido la visión sagrada del arte. El resultado fue el mismo que tuvo la edad moderna; una gran conceptualización estética y un delirante sensualismo. El naufragio humano y artístico fue total, pero tuvo éxito, había descubierto América y Africa desde una perspectiva francesa corrompida. Había descubierto el realismo mágico espacial, posiblemente antes que el realismo mágico novelístico. -El realismo mágico subestima al hombre original, confunde la metáfora con el mito. Es decir confunde la intuición con la imaginación, que es la frontera entre la verdad y la mentira. Magia no es misterio sino una traición al poder del espíritu en nombre de los dioses de la materia. Magia es la idolatría de los mitos. El realismo mágico degrada al hombre a una etapa inferior de la evolución y truculentamente resucita el lenguaje de Comte que científica y antropológicamente estaba superado.

El arte de mirar es la respuesta única del hombre actual antes las desviaciones modernas. No sé si Estopiñán es un creyente, pero su arte carece de dogmas de incredulidad y de atavismos negativos. Sus estatuas son la expresión serena de una mirada, que no tiene la presbicia del conceptualismo ni la miopía del sensualismo. El arte de mirar es el elemento religioso de la obra de Estopiñán.

Un magnífico crítico moderno ha encontrado esta religiosidad en la obra de Estopiñán. -La época moderna para los hombres de pensamiento es la era del infinitismo, porque el espacio ha crecido tan vertiginosamente, que para esta perspectiva parece infinito. Los hombres buenos de esta época tienen una gran nostalgia de Dios, pero ya no les queda espacio para situarlo y lo ponen en la naturaleza. Cuando un crítico moderno tiene la sensabilidad de encontrar lo religioso en el vigor creativo de Estopiñán, tiene que llamarlo panteísta, porque ya habían puesto a Dios en la naturaleza. La única manera de ver las esculturas de Estopiñán, es como creación. La creación es la libertad de Dios y la libertad del artista en cooperación con Dios. Dios crea de la nada y el artista crea con la sustancia que Dios ha creado: la materia o la palabra. Es cierto que en las esculturas de Estopiñán, se le encuentra inteligencia a la materia, pero esto es la virtud de la creación en busca del creador.

La religión de Estopiñán está en el arte de mirar, en el retorno a la visión como instinto y como intuición. La religión de sus estatuas está en la contemplación estética, pero su arte es también contemplación. El escultor crea con la mirada, sus manos artesanas obedecen al creador. Cada vez que Estopiñán restaura la estatua a visión pura, restaura la escultura al arte de ver.

El arte de mirar es la respuesta de lo más sagrado y auténtico del hombre a algo supremo y auténtico que brota de la realidad de las cosas y del mundo.